Gweld Sêr

Cyfrinach Ffion

Cindy Jefferies

addasiad

Emily Huws

Argraffiad cyntaf: 2008

(h) addasiad Cymraeg: Emily Huws

Rhif rhyngwladol: 978-1-84527-159-6

Mae'r cyhoeddwr yn cydnabod cefnogaeth ariannol
Cyngor Llyfrau Cymru

Cyhoeddwyd yn wreiddiol yn Saesneg gan Usborne Publishing Ltd.
© testun Saesneg: Cindy Jefferies
Cyhoeddwyd yn Gymraeg gan Wasg Carreg Gwalch,
12 Iard yr Orsaf, Llanrwst, Conwy, LL26 0EH.
Ffôn: 01492 642031 Ffacs: 01492 641502
e-bost: llyfrau@carreg-gwalch.co.uk
lle ar y we: www.carreg-gwalch.co.uk

Argraffwyd a chyhoeddwyd yng Nghymru.

Gweld Sêr

1. Be sy'n bod?

Yn falch ac yn urddasol, cerddodd Fflur a Ffion – yr efeilliaid enwog – ar hyd y llwybr modelu tu ôl i'r brif seren, Tonwen Dwyryd, a'r tair yn arddangos gwisgoedd hirion o liwiau tanbaid, cyfoethog, prydferth i'w rhyfeddu gan gynllunydd ffasiwn adnabyddus iawn. Rhuai'r gerddoriaeth yn gyfeiliant byddarol iddyn nhw, a'r curiadau'n eu gwthio ymlaen o gam i gam.

Fel roedd Tonwen yn cyrraedd pen draw'r llwybr, heb rybudd o gwbl, trodd heibio i'r efeilliaid, a'i gwisg loyw yn donnau fel dŵr yn cael ei grychu gan y gwynt o amgylch ei fferau. Trodd Fflur hefyd, ond roedd rhywbeth yn bod ar Ffion. Arhosodd yn ei hunfan yn stond. Rhythodd yn hurt ar y goleuadau fel petai wedi'i pharlysu. Heb golli curiad, trodd Fflur yn ôl at ei chwaer. Cydiodd yn ei braich a rhoi plwc

7

sydyn i'w gorfodi i droi, gan gadw at amser y gerddoriaeth yn berffaith. Daliodd ei gafael ynddi'n gadarn a gwneud i'w hefaill gerdded yn gefnsyth yn ôl ar hyd y llwybr fel roedden nhw wedi'i wneud ganwaith o'r blaen. Chwarddodd y gynulleidfa, yn amlwg yn gweld y peth yn ddigri, ac aeth y ddwy drwy'r llenni i gefn y llwyfan i gyfeiliant cymeradwyaeth frwd.

"Be *ddiawl* dach chi'ch dwy yn feddwl dach chi'n 'neud?" gwaeddodd Tonwen, a'i llygaid yn melltennu. Roedd tymer wyllt a thafod rasel Tonwen Dwyryd bron mor enwog â'i harddwch anghyffredin wrth wibio o wlad i wlad yn arddangos dilladau drudfawr. "Rhag eich cywilydd chi yn meiddio tynnu sylw atoch eich hunain fel'na!" meddai'n filain. "Roeddech chi i fod i droi a dod yn ôl y munud hwnnw – nid loetran yn y pen draw fel dwy hen iâr! Pwy dach chi'n feddwl dach chi?"

"Mae'n ddrwg gen i," ymddiheurodd Fflur. "Dydi Ffion ddim yn teimlo'n dda iawn. Hel y ffliw, dwi'n meddwl."

"Wel cadw hi'n ddigon pell oddi wrtha i!" arthiodd

Tonwen, gan daro yn erbyn llond rhesel o ddilladau drudfawr wrth neidio'n ôl wysg ei chefn. "Dwi mewn ffilm ffasiwn yn Acapulco ddydd Mawrth a dwi'm eisio methu mynd yno."

Roedd Ffion wedi dechrau dadwisgo yng nghefn y llwyfan lle'r oedd popeth yn draed moch, a rhywun wedi gwthio ffrâm ddillad i'r gornel gyfyng lle'r oedd yr efeilliaid i fod i newid. Gwibiai modelau drwy'i gilydd wrth i'r merched a wisgai'r dillad amdanyn nhw sgrialu i gydio yn y gwisgoedd gwerthfawr yr eiliad roedden nhw'n cael eu tynnu, a phopeth yn sang-di-fang. Ond doedd hynny'n poeni dim ar Tonwen Dwyryd. Gwthiodd ei hun yn drahaus tuag at y drws. Edrychodd Fflur yn stowt iawn ar Ffion wrth iddi gamu o'i gwisg brydferth ei hun yn flin.

"Bron iti ddifetha *popeth*," ysgyrnygodd yn ddig. "Os na fyddwn ni'n ofalus, bydd Tonwen yn gwrthod gweithio efo ni, a chawn ni ddim cyfle arall gan y cynllunydd 'na." Lluchiodd y wisg i ddwylo un o'r gwisgwyr oedd yn aros amdani a thyrchu drwy'r bobl i chwilio am ei dillad ei hun. Daeth yn ôl ymhen rhyw funud neu ddau yn gwisgo jîns a siaced. "Be sy'n bod arnat ti?" mynnodd, a sodro jîns Ffion yn ei dwylo. "Dwyt ti ddim yn arfer bod yn gymaint o het."

"Mae'n ddrwg gen i," ymddiheurodd Ffion. "Dwi ddim yn meddwl 'mod i'n hel y ffliw."

"Wn i hynny," wfftiodd Fflur. "Dyna'r esgus cynta ddaeth i 'mhen i."

Aeth y ddwy drwy ystafelloedd cefn y gwesty i'r brif fynedfa lle'r oedd eu mam a'u swyddog hyrwyddo, Siwan Mererid, yn aros amdanyn nhw.

"Gwych, fel arfer!" meddai eu mam wrth eu cusanu, cyn ychwanegu, "Ond byddai'n dda gen i 'tasech chi'n tynnu'r colur 'na."

"Yn y munud," meddai Fflur. "Gawn ni fynd yn syth adref?"

Nodiodd Siwan Mererid. "Mae'r tacsi'n aros amdanoch chi," meddai. "Wn i eich bod chi ar frys gan fod yr ysgol yn agor heddiw." Yna gofynnodd, "Dach chi'n iawn?"

Roedd Siwan Mererid yn adnabod yr efeilliaid yn dda iawn ac yn gallu synhwyro sut hwyl oedd arnyn nhw bob amser. Bu'n trefnu gwaith ar eu cyfer am flynyddoedd – ers pan oedden nhw'n fychan iawn a'u mam wedi anfon llun ohonyn nhw i'w swyddfa. Roedd hi wedi cael llawer o waith modelu i'r ddwy, ond roedd heddiw wedi bod yn arbennig, hyd yn oed i'r efeilliaid enwog. Roedd gweithio efo'r brif fodel Tonwen Dwyryd yn gyfle ardderchog i'w gwneud nhw'n enwocach fyth, ond byddai unrhyw broblemau yn adlewyrchu'n wael ar Siwan Mererid yn ogystal â'r efeilliaid.

Plyciodd Fflur weddill y clipiau o'i gwallt a'i ysgwyd o'n ôl dros ei hysgwyddau wrth wenu'n gam ar Siwan Mererid.

"Wrth gwrs ein bod ni'n iawn!" atebodd yn ysgafn. "Ty'd 'laen, Mam. Mae'n rhaid inni frysio. Dan ni ddim wedi gorffen pacio!"

Ond roedd Fflur yn ddig efo Ffion o hyd, ac unwaith roedden nhw i mewn yn y tacsi, dechreuodd edliw eto. "Welaist ti be ddigwyddodd, Mam?" gofynnodd wrth i'r tacsi gychwyn.

"Be 'mach i?" gofynnodd eu mam.

"Ffion! Yn methu'i chiw. Roedd yn rhaid imi'i llusgo hi oddi ar y llwybr! Sôn am godi cywilydd arna i. Ac roedd Tonwen Dwyryd yn wallgo. Roedd hi'n meddwl ein bod ni'n ceisio tynnu'r sylw oddi arni hi."

"Ond doeddech chi ddim, dwi'n siŵr," atebodd eu mam. "Roeddwn i'n meddwl fod popeth wedi mynd yn dda iawn. Roeddech chi'ch dwy yn edrych yn ddigon o ryfeddod, fel arfer."

Suddodd Fflur yn ôl yn ei sedd, gan edrych yn gas. "Dyna be fyddi di'n ddweud bob amser," cwynodd. Ddywedodd Ffion ddim byd.

"Wel," mynnodd eu mam, "dach chi'ch dwy *yn* edrych yn ddel. Ond dwyt ti'n gwneud dim lles i dy wyneb wrth edrych yn gas arna i fel'na."

Felly, yn lle edrych ar ei mam, edrychodd Fflur yn flin iawn ar Ffion ac ochneidiodd eu mam.

"Callia, Fflur fach!" meddai. "Dwyt ti ddim haws â gwylltio ynghylch petha pitw, cariad."

"Doedd o ddim yn *bitw*," meddai Fflur o dan ei gwynt. Plethodd ei breichiau a syllu allan drwy'r ffenest heb ddweud yr un gair o'i phen nes cyrraedd adref.

Cyn gynted ag yr oedd y ddwy ar eu pennau eu hunain yn eu hystafell, trodd Fflur ar ei chwaer drachefn, yn union fel ci efo asgwrn.

"Be sy'n bod arnat ti?" mynnodd. "Rwyt ti wedi bod yn modelu ers digon o amser i beidio rhewi ar y llwybr, er ein bod ni efo Tonwen Dwyryd o bawb!"

"Nid dyna oedd," meddai Ffion wrth dynnu'r colur oddi ar ei hwyneb. "Nid dychryn wnes i."

"Wel, be oedd yn bod felly?" gofynnodd Fflur. "Rwyt ti'n gwybod fod Siwan wedi gorfod ymdrechu'n galed i gael y joban yna i ni. Os bydd cynllunydd y dillad 'na'n cymryd aton ni, gallen ni fod yn modelu ym *Mharis* y flwyddyn nesa, ond bu bron i ti ddifetha popeth."

Gorffennodd Ffion lanhau ei hwyneb a chododd ar ei thraed. Yna, petrusodd am funud.

"Dim ond ... "

"Be?"

Ochneidiodd yn flinedig. "O, wn i ddim."

Edrychodd Fflur ar ei chwaer – fel petai hi'n edrych mewn drych. Ffion â'i gwallt hir, gloywddu, yn fantell laes dros ei hysgwyddau. Ffion â chroen llyfn, lliw hufen ei hwyneb. Ffion â'i llygaid tywyll. Yr un ffunud â Fflur. Y ddwy yn union yr un fath. Dyna sut roedden nhw wedi cael yr holl sylw – pawb wedi dotio atyn nhw a hwythau wedi dod yn enwog, drwy fod yn rhyfeddol o hardd – ddwywaith. Ac roedden nhw mor agos nes bod Fflur yn gwybod yn union beth roedd Ffion yn ei feddwl. Ond ar y funud doedd ganddi hi ddim syniad beth oedd yn mynd drwy ben ei hefaill.

"Wel, os nad wyt *ti'n* gwybod, wn i ddim siŵr iawn," meddai Fflur yn bigog. "Ond fe wnest ti i mi deimlo'n rêl ffŵl heddiw. Roedden ni'n berffaith yn yr ymarfer, ac yna, pan oedd o'n wironeddol bwysig, anghofiaist ti droi. Roedd pobl yn *chwerthin*."

"Mae'n ddrwg gen i."

Ond doedd rhyw ymddiheuriad bach ffwrdd-â-hi ddim yn ddigon i Fflur.

"Gobeithio nad wyt ti ddim yn mynd i fod yn hen het pan awn ni'n ôl i'r ysgol," rhybuddiodd.

Edrychodd Ffion yn ddeifiol ar ei chwaer. Yna llusgodd ei chês ysgol mawr i ganol yr ystafell er mwyn dechrau pacio.

Ochneidiodd Fflur. Byddai heddiw wedi bod yn ddiwrnod perffaith petai Ffion heb wneud llanast o bethau. Roedd hyd yn oed mynd yn ôl i ddechrau tymor newydd mewn ysgol breswyl yn rhywbeth i edrych ymlaen ato.

Roedd Plas Dolwen yn ysgol wych – yr ysgol orau drwy'r wlad ar gyfer plant oedd eisiau bod yn gantorion pop, yn gerddorion neu'n dechnegwyr cerdd. Roedd popeth roedden nhw ei angen ar gyfer gyrfa yn y diwydiant cerddoriaeth yn cael ei ddysgu yno. Felly, y munud roedd Fflur wedi sôn ei bod hi'n ffansïo bod yn gantores bop, roedd Siwan Mererid wedi cymeradwyo'r ysgol. Roedd hi'n iawn hefyd – roedd hi'n ysgol werth chweil.

"Dydi'r ffaith eich bod chi'n fodelau llwyddiannus ar y funud ddim yn dweud mai felly y bydd hi yn y dyfodol," oedd ei geiriau. "Er eich bod chi ar y brig ar hyn o bryd, does dim yn para am byth. Dach chi angen rhywbeth arall hefyd. Canu pop? Syniad ardderchog!"

Roedd gan y ddwy leisiau da, wedi hen arfer ar lwyfan ac eisoes yn enwog, felly roedden nhw bron hanner y ffordd i fod yn sêr pop yn barod. Ond mewn byd mor gystadleuol, doedd wiw i Fflur a

Ffion orffwys ar eu rhwyfau. Roedden nhw wedi gwneud ffrindiau da ym Mhlas Dolwen, a'r ddwy yn hapus iawn yno.

"Dwyt ti ddim yn mynd i wneud llanast o betha yn yr ysgol, nac wyt?" mynnodd Fflur.

"Gwranda. Methu am un eiliad wnes i. Dim ond un eiliad," meddai Ffion. "Felly, cau hi! Rho'r gorau i'r hewian 'ma, wnei di?" Dechreuodd chwilota o dan ei gwely a gafael mewn pâr o dreinyrs. Gwthiodd nhw i fag plastig.

Ochneidiodd Fflur wedyn. "Iawn," cytunodd yn gyndyn, cyn agor caead ei chês ei hun.

Doedd Fflur ddim yn fodlon am na wyddai hi beth oedd yn mynd drwy feddwl ei chwaer pan fethodd hi ei chiw. Roedden nhw'u dwy wedi hen arfer â'r gwaith ac yn llawer rhy broffesiynol i fethu canolbwyntio heb fod rheswm da iawn am hynny. Ond gwyddai Fflur na fydden nhw'n trafod y peth eto. Ffion oedd yr un fwyaf hawdd ei thrin o'r ddwy. Fel arfer, fyddai waeth ganddi'r naill ffordd na'r llall, ond gallai hithau hyd yn oed styfnigo weithiau. Petai Fflur yn mynnu dal ati, byddai'r ddwy yn cael dadl

ffyrnig, benboeth, a doedd Fflur ddim eisio hynny a
hwythau ar fin mynd yn ôl i'r ysgol. Edrychodd ar ei
chwaer. Roedd Ffion wrthi'n llenwi'i chês yn drefnus
gyda'r pentwr dillad roedd hi wedi eu gosod ar y
gwely y bore hwnnw. Efallai fod pethau'n iawn.
Efallai mai wedi cael un munud gwan yn unig roedd
Ffion, ac na fyddai'n digwydd eto.

Caeodd Ffion ei chês. Rhoddodd glep ar y caead
a gwenodd ar Fflur, yn awyddus i fod yn ffrindiau
drachefn.

"Dwi ar dân eisio gweld Erin a Dan a phawb arall
yn yr ysgol," meddai. "Dwi wedi colli Llywela hyd yn
oed! Ty'd 'laen, y falwen. Gorffenna bacio'r cês 'na,
Fflur, a golcha'r colur oddi ar dy wyneb. Fedrwn ni
ddweud wrth Mam ein bod ni'n barod i fynd wedyn.
Does gynnon ni fawr o amser, a dan ni ddim eisio
bod yn hwyr!"

2. Yn ôl yn yr Ysgol

Ym Mhlas Dolwen rhannai Fflur a Ffion ystafell gyda dwy eneth arall, Erin Elis a Llywela Cadwaladr. Carai Ffion ei hefaill yn fawr iawn, ond byddai'n braf gweld Erin eto. Er mai newydd gyfarfod y tymor diwethaf roedden nhw, teimlai Ffion fel petai hi'n adnabod Erin ers blynyddoedd. Geneth dawel, benderfynol oedd Erin, yn debyg iawn ei ffordd i Ffion, tra bod Fflur yn fwy swnllyd.

Wedi i'w rhieni ffarwelio â nhw yn yr ysgol, aeth yr efeilliaid i fyny i'w hystafell yn nhŷ Fron Dirion. Dangosai'r paciau oedd yno'n barod fod Erin a Llywela wedi cyrraedd o'u blaenau ac wedi mynd i'r ystafell fwyta, mae'n debyg.

"Ty'd 'laen," meddai Ffion wrth ei chwaer. "Awn ni i ddweud helo wrth bawb."

"Iawn."

Ar eu ffordd o'r tŷ lle'r oedden nhw'n byw, oedodd Ffion i edrych yn eu blwch llythyrau.

"Mae 'na lythyr inni!" meddai'n syn. Agorodd Ffion yr amlen a dechreuodd Fflur ddarllen y llythyr dros ei hysgwydd.

"Be yn y byd mae Mrs Powell eisio?" gofynnodd Ffion.

"Wn i ddim," atebodd Fflur. "Dyma ni newydd gyrraedd ac mae'r pennaeth yn anfon amdanom ni'n barod. Gobeithio nad oes dim byd o'i le."

Aeth y ddwy draw i'r prif adeilad lle'r oedd swyddfa'r pennaeth ar y llawr cynta. Ond ar y ffordd heibio i'r ystafell fwyta, gwelodd Ffion Erin, Dan a Llywela yn mynd i nôl eu te.

"Hei, Erin!" Rhuthrodd Ffion ati a chofleidio'i ffrind yn falch. "Gest ti Ddolig braf? Mae'n wych dy weld di!"

Clymodd Fflur ei breichiau am wddw Dan.

"Ara deg!" meddai Dan, a symud draw yn hamddenol. "Rhag iti 'nharo i ar wastad fy nghefn!"

"Ges i amser bendigedig, diolch," meddai Erin, "ond mae'n braf bod yn ôl. Haia, Fflur! Blwyddyn

Newydd Dda!"

"Haia!" Cofleidiodd Fflur Erin hefyd.

"Barod am roc a rôl?" chwarddodd Erin. "Dwi'n dyheu am fy ngwers ganu gynta rŵan gan 'mod i wedi cael trefn ar fy llais o'r diwedd."

Roedd gan Erin fôr o lais, ond bu'n rhaid iddi gael llawer o help y tymor diwethaf i ddysgu sut i'w ddefnyddio'n iawn. Dyna wych oedd ei gweld hi mor hapus erbyn hyn.

"Bachwch fwrdd," awgrymodd Llywela, gan gydio mewn hambwrdd yn ddiamynedd.

"Fedrwn ni ddim," meddai Ffion, yn edrych yn bryderus. "Dan ni'n gorfod mynd i weld y pennaeth, ond roedden ni eisio dweud helo cyn mynd."

"Mewn helynt yn barod?" pryfociodd Dan. "Pryd gawsoch chi amser i dynnu rhywun i'ch pen? Prin wedi cyrraedd dach chi!"

"Digon gwir," cytunodd Ffion. "Ty'd 'laen, Fflur. Waeth inni gael gwybod y gwaetha ddim."

"Welwn ni chi'n ôl yn fan'ma," galwodd Fflur fel roedden nhw'n mynd i gyfeiriad ystafell Mrs Powell. "Croeswch eich bysedd y bydd popeth yn iawn inni!"

Ymhen fawr o dro, daeth yr efeilliaid yn ôl. Edrychai Fflur fel ci efo dwy gynffon, ond roedd wyneb Ffion yn ddifynegiant.

Roedd Erin wedi cadw dau ddarn o deisen siocled iddyn nhw. Gwyddai pawb fod teisen siocled Plas Dolwen fwy at ddant Ffion nag unrhyw beth arall yn y byd. Roedd ganddi ddigon o le i ddarn ohoni bob amser, ond rŵan, doedd hi ddim fel petai arni fawr o'i hawydd o gwbl. Bu'n chwarae efo'r deisen ar ei phlât nes ei throi'n fynydd o friwsion tra eisteddai Fflur yn edrych ar bawb yn wên o glust i glust.

"Be oedd Mrs Powell eisio?" gofynnodd Erin.

"Ydi hi'n mynd i 'neud i chi wisgo bathodyn efo'ch enw arno fo er mwyn i'r athrawon wybod pwy ydi pwy?" cynigiodd Llywela.

Ysgydwodd Ffion ei phen. "Nac ydi," meddai gan frathu'i gwefus. "Nid dyna oedd."

Cyfarfu llygaid Fflur ac Erin. Lledodd gwên anferth dros wyneb Fflur wedyn.

"Dan ni'n mynd i fod ar y teledu!" meddai, ac yna gwridodd yn fflamgoch. Llyncodd gegaid fawr o

sudd ffrwythau. Aeth y ddiod o chwith a dechreuodd
boeri a thagu. Dyrnodd Erin hi ar ei chefn, a
rhoddodd Llywela hances bapur iddi gael sychu'r
dagrau o'i llygaid.

"Y rhaglen *Talent-iau* 'na ar S4C ydi hi," meddai
Ffion tra oedd ei chwaer yn dal i geisio dod ati'i hun.
"Maen nhw eisio gwneud eitem arnon ni'n ceisio
cael ein pig i mewn i'r diwydiant cerddoriaeth yn
ogystal â gyrfa yn modelu dillad."

"Nid eitem," cywirodd Fflur ei chwaer yn gryg.
"Rhaglen *gyfan* arnon ni! Ac maen nhw eisio'i ffilmio
hi yma, yn yr ysgol! Anhygoel, ynte!"

"Fydd 'na ddim taw arnoch chi rŵan,"
ochneidiodd Llywela yn bigog gan wthio'i phlât o'r
neilltu. "Bydd hi'n amhosib byw efo chi."

Edrychodd Ffion arni, yn deall yn iawn beth
roedd hi'n ei feddwl. Doedd Llywela ei hun ddim yn
un hawdd iawn byw efo hi ar y gorau, ond y tro yma
teimlai Ffion ym mêr ei hesgyrn ei bod hi'n iawn.
Mae'n debyg y byddai pawb wedi syrffedu clywed
Fflur yn brolio ynghylch y rhaglen deledu yn fuan
iawn, ac wedi cael llond bol arnyn nhw'u dwy.

"Gwych! Ella y byddan nhw eisio'ch ffilmio chi'ch dwy yn canu," meddai Dan. "Ac ella y byddwch chi angen drymiwr," ychwanegodd gan wenu'n obeithiol.

"Neu ddawnsiwr," meddai Cochyn Sboncyn, a rannai ystafell efo Dan, oedd newydd gyrraedd yno atyn nhw.

Chwarddodd Erin. "Os cawn ni i gyd ein ffordd ein hunain, fydd 'na ddim lle i chi'ch dwy," meddai wrth Fflur a Ffion. "Bydd y rhaglen yn llawn ohonon ni i gyd yn tynnu sylw atom ein hunain!"

"Mae'n debyg mai dim ond am rhyw funud neu ddau y byddwn ni ar y rhaglen," rhybuddiodd Ffion nhw.

"Taw!" protestiodd Fflur. "Paid â bod yn wirion. Mae hi'n rhaglen *gyfan*. Rhaglen hanner awr amdanom *ni*. Sôn am gyfle!"

"Mae hi'n dweud y gwir," meddai Erin wrth Ffion. "Does wybod be fedr ddigwydd ar ôl i chi fod ar y teledu!"

"Yn hollol." Gwthiodd Ffion ei chadair yn ôl a chododd ar ei thraed. "Wel, dwi'n mynd i ddadbacio," meddai. "Oes rhywun arall am ddod?"

"Ddo' i," meddai Erin. "Mae'n rhaid i mi gael trefn ar fy mhetha neu fedra i ddim setlo."

Cydiodd Erin a Ffion ym mreichiau'i gilydd wrth fynd yn ôl i dŷ Fron Dirion drwy'r oerfel niwlog tu allan. Roedd hi'n dywyll iawn, a'r tawch yn cymylu'r goleuadau ar ochr y llwybr graean. Ond unwaith roedden nhw wedi cyrraedd eu hystafell, gyda lamp newydd Erin ynghynn a'r llenni wedi eu cau, dechreuodd y ddwy deimlo'n eitha clyd. Rhoddodd Erin y cryno-ddisg roedd hi wedi'i gael yn anrheg Nadolig yn ei chwaraewr cryno-ddisgiau a rhoddodd Ffion y cwrlid dwfe newydd roedd hi wedi'i ddod efo hi o'i chartref ar ei gwely.

"Meddylia! Rhaglen deledu gyfan i chi'ch hunain!" meddai Erin, wrth wthio pentwr o ddillad isaf i'w drôr. "Waw!"

"Ond mae arna i ofn fod Fflur yn mynd i fwydro gormod am y peth," meddai Ffion. "Nid brolio mae hi, ond os na fydd hi'n ofalus, bydd pawb yn dechrau meddwl ei bod hi'n rêl pen bach."

Cyn i Erin allu ateb, agorodd y drws. Ffrwydrodd

Fflur i mewn a lluchio'i chôt ar y gwely. Diflannodd yr heddwch.

"Barod?" chwarddodd, gan smalio dal camera wrth ei hwyneb. "Dyma Ffion yn dadbacio ac yn sgwrsio gydag un o'i ffrindiau!"

"Ti'n deall be dwi'n feddwl?" meddai Ffion.

3. Rhwng Dwy

Er gwaethaf newyddion cyffrous Fflur a Ffion, roedd yn rhaid i fywyd ysgol ddechrau fel arfer trannoeth. Ysgol ar gyfer cantorion a cherddorion oedd Plas Dolwen, ond roedd yn rhaid i'r myfyrwyr astudio'r pynciau ysgol arferol hefyd. Roedd gwaith academaidd wedi bod yn hawdd i Ffion erioed ac roedd hi wir yn mwynhau'r rhan fwyaf o'r gwersi, ond cwynodd Fflur drwy fore o fathemateg, Cymraeg a hanes cyn iddi hi a Ffion gael eu gwers ganu breifat gynta gan Mr Parri.

"Mae Mrs Powell wedi sôn am *Talent-iau*," meddai, fel petai wedi'i blesio'n arw. "Dechrau ardderchog i'r tymor! Ella y byddan nhw eisio'ch ffilmio chi yn ystod un o'n gwersi ni, yn canu cân gyfan. Mi fydda i'n meddwl am ambell beth y gallech chi berfformio."

Ar ôl gwneud yr ymarferion cynhesu llais, roedd Fflur yn ei chael hi'n anodd canolbwyntio, felly anfonodd Mr Parri hi i nôl diod o ddŵr i'r ddwy ohonyn nhw.

"Wn i dy fod ti'n berwi o gyffro," meddai, "ond mae angen canolbwyntio, Fflur. Cymer ddiod o ddŵr a cheisia setlo'n dawel. Edrycha ar Ffion. Mae hi'n llwyddo i gadw'i meddwl ar waith."

"Mae Ffion yn dawel bob amser," cwynodd Fflur. Ond ymdrechodd i yrru *Talent-iau* i gefn ei meddwl, a cheisiodd ganolbwyntio ar y wers.

"Pan nad ydach chi'n canolbwyntio, dach chi allan o diwn, felly dewch i mi eich clywed chi'n canu'r nodau yma mor berffaith ag y medrwch chi," meddai Mr Parri wrth y ddwy ohonyn nhw. Chwaraeodd Mrs Jones y nodau ar y piano a gwrandawodd Fflur yn astud.

"Gwell o lawer," canmolodd Mr Parri yr efeilliaid wedi iddyn nhw orffen. "Ac ar dy ben dy hun, Fflur. Ie. Rŵan rwyt ti'n canolbwyntio. Da iawn."

Ar ôl y toriad amser cinio hir, pan oedd gan lawer o'r myfyrwyr wersi unigol, roedd yna ddosbarth arlunio – pwnc oedd wrth fodd calon Fflur.

"Wel, Dan!" chwarddodd, gan edrych dros ei hysgwydd ar ei waith. "Does gen ti ddim gobaith caneri o gael mynd ar *Talent-iau* fel arlunydd! Be, haul ydi hwnna i fod?"

Er bod Dan yn gwneud ei orau glas, doedd o'n fawr o giamstar am arlunio. Edrychai fel petai arno dipyn bach o gywilydd, a brysiodd Ffion i'r adwy.

"Paid â'i bryfocio fo, Fflur," meddai. "Faset ti ddim yn gweld yr ochr ddoniol o gwbl petai o'n tynnu dy goes di ynghylch cerneg, neu un arall o dy gas bynciau di. A rho'r gorau i fwydro am *Talent-iau*. Dwi'n dechra 'laru dy glywed di wrthi o hyd."

Rhythodd Fflur ar ei chwaer. "Gallai hyn agor drysau i bob math o betha inni," meddai. "Ein cyfle mawr ni … ac rwyt ti wedi *'laru* arno fo?"

"Enethod!" meddai'r athro arlunio. "Rhowch y gorau i siarad. Canolbwyntiwch ar eich gwaith." A bu'n rhaid i Fflur gau'i cheg.

Erbyn amser te roedd pawb yn barod am egwyl, ond er bod y gwersi cyffredin wedi gorffen, doedd y diwrnod ysgol ddim ar ben. Roedd gwersi cerdd ychwanegol ac ymarferiadau hefyd, yn ogystal â gwaith cartref i'w gwblhau.

Fedrai Fflur ddim peidio â sôn am *Talent-iau* unwaith eto fel roedd hi a Ffion yn mynd i gael te.

"Be wyt ti'n feddwl fydd y criw teledu yn 'neud?" gofynnodd. "Ein dilyn ni drwy'r dydd neu roi cyfle inni berfformio?"

Clec! Sodrodd Ffion ei hambwrdd yn ôl ar y pentwr.

Edrychoddd Fflur arni'n syn. "Be sy'n bod?" gofynnodd.

Trodd Ffion draw. "Dwi ddim awydd bwyd," meddai dan ei gwynt. "Dwi'n mynd am dro."

"O, dof i efo ti felly," cynigodd Fflur. "Gawn ni de yn nes ymlaen."

"Na," meddai Ffion wrthi'n bendant. "Dwi eisio mynd ar fy mhen fy hun."

Cyn i Fflur gael cyfle i ateb, trodd Ffion ar ei sawdl ac aeth allan o'r ystafell fwyta. Rhythodd Fflur ar ei hôl, ac roedd hi'n dal i loetran yn ansicr wrth y lle bwyd pan ddaeth Erin i mewn.

"Ble mae pawb?" gofynnodd Erin wrth ollwng ei

bag ar y llawr.

"Mae gan Dan wers ddrymio," meddai Fflur. "Dwi'n meddwl fod Cochyn yn y stiwdio ddawns a wn i ddim ble mae Llywela."

"Be am Ffion?" holodd Erin.

"Mae hi wedi mynd am dro, " meddai Fflur, yn amlwg wedi digio.

"O?"

"Fydd hi *byth* yn mynd am dro ar ei phen ei hun," meddai Fflur. "Fe fyddwn ni'n mynd efo'n gilydd bob amser. Wn i ddim be sy'n bod arni hi. Mae hi wedi bod mor rhyfedd – byth ers y sioe ffasiwn wnaethon ni efo Tonwen Dwyryd. Dwi'n methu deall y peth." Teimlai Fflur yn hynod anesmwyth bob tro y meddyliai am Ffion. Yn syth ar ôl helynt y sioe ffasiwn, teimlai'n flin. Ond bellach teimlai braidd yn drist ac yn unig – fel petai ei hefaill wedi troi'i chefn arni. Doedd hi erioed yn ei bywyd wedi teimlo felly o'r blaen. Hen deimlad ofnadwy oedd o

"Dwi'n dechrau meddwl nad ydi hi ddim eisio bod yn *efaill* erbyn hyn," meddai Fflur wrth Erin, yn hunandosturiol iawn. Syrthiodd dau ddeigryn mawr ar ei phlât a rhwbiodd ei llygaid.

"Nac ydi siŵr iawn," protestiodd Erin. "Dydi hi ddim yn teimlo fel'na, wrth gwrs. Roedd y ddwy ohonoch chi'n iawn gynna."

"Felly roeddwn inna'n meddwl," cytunodd Fflur gan snwffian. "Roedden ni'n dod i mewn i gael te, ac roedd popeth yn iawn, ond wedyn dyna Ffion yn dweud ei bod hi am fynd am dro yn lle cael te. Dywedais i y byddwn inna'n mynd hefyd, ond dywedodd hi ei bod hi eisio bod ar ei phen ei hun!"

"Wel, dydi hynny ddim yn ddrwg o gwbl," meddai Erin. "Mae pawb angen bod ar eu pennau eu hunain *weithia*."

"Ond dim ond pan fyddwn ni wedi ffraeo y byddwn ni ar wahân!" mynnodd Fflur. "A dan ni ddim wedi ffraeo! Felly pam mae hi'n fy nghasáu i fel hyn?"

"Dydi hi ddim yn dy gasáu di, siŵr iawn" meddai Erin. "'Swn i'n meddwl y byddai casáu d'efaill fel casáu chdi dy hun. Ella mai ei hormonau hi sy ar fai. Mae Mam yn dweud fod hormonau'n gallu gwneud rhywun o'n hoed ni yn bigog fel pincws."

"Ella dy fod ti'n iawn," cyfaddefodd Fflur, "ond dwi ddim yn meddwl dy fod ti chwaith. Doedd hi ddim eisio i mi fod yn agos ati hi, a wn i ddim pam. Dan ni'n dwy yn gwybod be mae'r llall yn ei feddwl bob amser, ond rŵan wn i ddim, ac mae'n hen deimlad annifyr iawn." Cydiodd Fflur ym mraich ei ffrind. "Gofyn *di* iddi hi be sy'n bod, Erin. Mae hi'n siŵr o ddweud wrthat ti."

Edrychodd Erin yn feddylgar iawn. "Wn i ddim. Ella gwnaiff hi feddwl 'mod i'n busnesu."

Ysgydwodd Fflur ei phen. "Na, wnaiff hi ddim. Os gweli di'n dda!" crefodd.

Ochneidiodd Erin. "Iawn. Fe geisia' i siarad efo hi."

"Dos ati hi rŵan!" mynnodd Fflur. "Mae'n debyg ei bod hi'n siarad efo'r ceffylau yn y cae, yn dweud petha wrthyn nhw nad ydi hi'n eu dweud wrtha i." Roedd dim ond dweud hynny yn gwneud i Fflur gredu ei fod yn wir, a llifodd deigryn neu ddau arall i lawr ei bochau.

"Iawn!" meddai Erin wrthi. "Dwi'n mynd. Paid â chrio." Gwisgodd ei chôt a chydiodd yn ei bag. "Dydi petha ddim cynddrwg â hynny!"

Aeth Erin draw i gyfeiriad y cae oedd gyferbyn â Fron Dirion. Ac yn sicr ddigon, dyna lle'r oedd Ffion yn pwyso dros y ffens yn mwytho un o'r ceffylau.

"Haia!" gwenodd Ffion pan welodd Erin, ei hanadl yn gymylau bach gwynion yn yr aer oer.

"Dwyt ti ddim eisio bwyd?" gofynnodd Erin yn chwithig.

Stopiodd Ffion fwytho'r ceffyl ac ysgydwodd ei phen. "Nac ydw a dweud y gwir. Ges i ginio anferth ac roedd yn well gen i ddod allan am dipyn o awyr iach."

"O … " Petrusodd Erin. "Meddwl ble'r oeddet ti o'n i. Roedd Fflur yn cael te ar ei phen ei hun ac roeddwn i'n meddwl … " Tawodd Erin pan riddfanodd Ffion.

"Fflur ofynnodd iti ddod i chwilio amdana i, ynte?"

"Nid chwilio yn hollol," meddai Erin, gan edrych ar ei thraed, yn teimlo'n anghyfforddus iawn.

"Ydi hi wedi cymryd ati'n ofnadwy?" gofynnodd Ffion.

"Ydi, braidd," atebodd Erin.

Ochneidiodd Ffion. "Angen tipyn bach o lonydd oeddwn i, dim byd arall. Mae Fflur yn gallu bod yn … wel, wyddost ti sut un ydi hi. A basa'n dda gen i 'tasa hi ddim yn sôn am y rhaglen deledu 'na o hyd ac o hyd. Mae'n mynd dan fy nghroen i."

"Ond pam?" gofynnodd Erin. "Mae'n andros o gyffrous. Faswn i wedi gwirioni 'tasa hyn yn digwydd i mi. Dwyt ti ddim yn meddwl y bydd o'n beth gwych ar gyfer dy ddyfodol di?"

Edrychodd Ffion ar ei ffrind. Roedd Erin yn gwneud ei gorau glas i helpu, ond roedd meddyliau cudd Ffion fil a mwy o filltiroedd o'r hyn roedd Fflur ac Erin yn cyffroi yn ei gylch. I bob golwg roedd pawb arall wrth eu boddau ynghylch y rhaglen deledu, felly pam na fedrai hithau fod 'run fath? Ond *fedrai* Ffion ddim teimlo felly, waeth pa mor galed yr ymdrechai. A dweud y gwir, mwyaf yn y byd a glywai hi am y rhaglen deledu, lleiaf yn y byd roedd hi awydd cael ei chyfweld ar ei chyfer.

"Oes 'na rywbeth yn bod?" gofynnodd Erin. "Roedd Fflur wedi cynhyrfu, a rŵan dyma ti a golwg digon peth'ma arnat ti."

"Ddim wir," meddai Ffion, yn ceisio gwthio'i meddyliau digalon i ffwrdd. "Dim ond bod Fflur mor frwdfrydig ynghylch popeth a weithiau basa'n well gen i fod yn ddistaw. Dyna'r gwahaniaeth mwya rhyngom ni erioed. Fel arfer, does dim ots gen i," ychwanegodd. "Dwi'n gadael llonydd iddi hi gael ei ffordd ei hun ac yn ei dilyn hi. Ond weithia mi faswn i'n hoffi bod yn fi fy hun, nid yn un hanner o efeilliaid. Wyt ti'n deall peth felly?"

Nodiodd Erin. "Mi fydda inna'n teimlo felly efo fy mrawd bach weithia, pan na fydd o'n gadael llonydd i mi," meddai. "Ond dydi o ddim yn yr ysgol efo fi. Mae'n rhaid ei bod hi'n waeth o lawer pan wyt ti'n efaill am eich bod chi'n gwneud *popeth* efo'ch gilydd. Rŵan mae Fflur yn ofni nad wyt ti ddim yn ei hoffi hi. Dwi'n gwybod ei bod hi'n un sy'n cynhyrfu'n hawdd, ond mae hi'n amau nad wyt ti ddim eisio bod yn efaill iddi hi!"

Ochneidiodd Ffion wedyn a chymylodd ei hanadl yn yr aer oer. "Mae hynna'n hurt. Mae Fflur yn mynd dros ben llestri bob amser. *Wrth gwrs* 'mod i eisio bod yn efaill iddi, ac mae hi'n gwybod hynny'n iawn.

Cred ti fi, y peth olaf dwi eisio'i 'neud ydi ei chynhyrfu hi."

"Mae'n ddrwg gen i," meddai Erin. "Doeddwn i ddim yn bwriadu busnesu."

"Dwyt ti ddim yn busnesu siŵr," meddai Ffion, yn benderfynol o godi'i chalon. "Mae'n braf iawn dy gael di'n ffrind gan dy fod ti wir-yr yn malio." Ymestynnodd Ffion dros y ffens i fwytho'r ceffyl am y tro olaf. "Ty'd, Erin. Awn ni i mewn. Mae'n oer allan yn fan'ma. Dwi bron â fferru! Dwi awydd diod boeth, ac os ydi Fflur yn yr ystafell fwyta o hyd, ga i ei chofleidio hi a dweud wrthi am beidio bod mor wirion. Mae'n rhaid iddi hi sylweddoli 'mod i'n hoffi bod ar fy mhen fy hun weithia. Mae'n hurt i fod eisio gwneud *popeth* efo'n gilydd drwy'r amser."

4. Newyddion Da

Fore trannoeth roedd gwers ddawns gynta'r tymor. Hyd yn oed os nad oedd ganddyn nhw ddiddordeb mewn dawnsio fel gyrfa, roedd yn rhaid i bawb gymryd rhan mewn dau ddosbarth dawns yr wythnos i gadw'n heini. Roedd dawnsio yn eu dysgu nhw sut i amseru a chydweithio, ac ar ben hynny roedd o'n hwyl garw.

"Dewch inni ddechrau drwy ymestyn chydig i gynhesu," meddai Mr Penardos, yr athro dawns, yn ei acen Garibïaidd hyfryd. "Breichiau allan i'r ochr, ac ... ymestyn i fyny. Ar un goes, cydio yn y ffêr. Teimlo'r tynnu. Y goes arall wedyn. Iawn!" Pwysodd fotwm ar y chwaraewr cryno-ddisgiau i chwarae curiad disgo trwm a churodd ei ddwylo.

"Pawb i 'nilyn i! Cerdded ymlaen dau, tri, pedwar, ac yn ôl dau, tri, pedwar. Naid. Naid, tri, pedwar. Da iawn, Cochyn!"

Pwysodd Dan ei ddwylo ar ei bengliniau i gael ei wynt ato wedi iddyn nhw aros yn stond. "Roeddwn i wedi anghofio pa mor galed ydi hyn," meddai'n fyr ei wynt wrth Ffion. "Mae'n iawn ar Cochyn, mae o'n mynd i fod yn ddawnsiwr proffesiynol, ond dwi ddim yn defnyddio'r gewynnau yma i ddrymio!"

Prin allan o wynt oedd Cochyn. "Wyt ti wedi penderfynu os dach chi eisio dawnswyr ar gyfer eich rhaglen deledu?" gofynnodd.

Ysgydwodd Ffion ei phen. "Dan ni ddim yn gwybod eto," atebodd. "Y cynhyrchydd fydd yn penderfynu, mae'n debyg."

"Roedd Mrs Powell yn dweud ei bod hi'n mynd i'w ffonio fo i gael gwybod be yn union mae o eisio," ychwanegodd Fflur.

"Fedrwn ni ddim penderfynu dim byd nes byddwn ni'n gwybod," meddai Ffion. "Mae'n ddrwg gen i."

"Ond fedrwn ni benderfynu be dan ni eisio'i 'neud," gwrthwynebodd Fflur, "a wedyn trio'i gael o i gytuno."

"Iawn," meddai Ffion yn glên. "Penderfyna di a

gad i mi wybod wedyn."

"Ffion!" cwynodd Fflur. "Mae hyn yn bwysig i ni'n
dwy!"

"Tawelwch!" meddai Mr Penardos. "Dach chi i fod
i orffwys am funud. Pam dach chi'n siarad?"

"Mae cwmni teledu yn mynd i ffilmio Fflur a Ffion
yma yn yr ysgol ar gyfer rhaglen deledu ar S4C,"
meddai Cochyn wrtho. "Holi oedden nhw angen
dawnswyr o'n i."

Chwarddodd Mr Penardos. "O, ie! Glywais i am
hyn yn yr ystafell athrawon. Mae'n gyffrous iawn,"
cytunodd. "Ella y byddan nhw am ffilmio'r dosbarth
yma. Os felly, mae gynnon ni dipyn o waith i'w
'neud!"

Griddfanodd Dan yn dawel.

"Mi fedrwn ni ddysgu act yn gyflym iawn, os bydd
pawb yn gweithio'n galed. Ond i ddechrau rhaid inni
eich cael chi i drefn ar ôl yr holl fwyd Dolig 'na dach
chi wedi'i fwyta. Dewch 'laen. Chwiliwch am le gwag
yng nghanol y llawr. Heb gerddoriaeth unwaith neu
ddwywaith. Breichiau o'ch blaen, dau, tri, pedwar a
cham … "

* * *

Roedd y genethod yn eu hystafell yn newid o'u dillad dawnsio pan gurodd geneth hŷn na nhw ar y drws a dod i mewn.

"Mae Mrs Powell eisio i chi'ch dwy fynd i'w swyddfa hi ar unwaith," meddai wrth Fflur a Ffion.

"Ynghylch y rhaglen ella!" meddai Fflur yn falch.

Lluchiodd Ffion ei chrys-T chwyslyd i'r fasged ddillad budron gan atal ei hun rhag griddfan. "Ty'd yn dy flaen, felly," meddai hi'n gyndyn. "Ty'd i gael gweld wyt ti'n iawn."

Aeth y ddwy draw i'r prif adeilad a mynd i fyny'r grisiau i swyddfa'r pennaeth. Curodd Fflur ar y drws ac aeth y ddwy i mewn.

"Dwi newydd gael sgwrs ddiddorol iawn efo Richard Gwyn, cynhyrchydd *Talent-iau*," meddai hi wrthyn nhw.

Cadwodd Fflur ei dwylo rhwng ei phengliniau i atal ei hun rhag neidio i fyny ac i lawr yn ei hunfan.

"Mae'n ymddangos fod y rhaglen yma'n mynd i roi cyfle i Blas Dolwen ddisgleirio yn eich sgil chi'ch dwy. Dywedodd Richard ei fod o'n awyddus i'ch ffilmio chi'n modelu, yn ogystal â'ch dangos chi'n canu ac yn gwneud hyn a'r llall yn ystod eich diwrnod ysgol arferol. Ond pan awgrymodd eich swyddog hyrwyddo y ddwy ohonoch chi fel testun ar gyfer y rhaglen, roedd yn rhaid iddi egluro nad ydi'ch mam ddim yn hoffi i chi wneud gwaith modelu yn ystod tymor ysgol."

Cymylodd wyneb Fflur, ond doedd Mrs Powell ddim wedi gorffen.

"Peidiwch â phoeni," meddai. "Dwi wedi cael gair â'ch swyddog hyrwyddo, ac efo'n gilydd dwi'n meddwl ein bod ni wedi datrys y broblem." Roedd Fflur yn dal ei hanadl.

"Fe ddywedais i wrth Richard y gallem ni drefnu tipyn o fodelu yma ym Mhlas Dolwen," meddai Mrs Powell wrth yr efeilliaid. "Roedd o'n ddigon bodlon efo hynny."

Goleuodd wyneb Fflur. "Gawn ni 'neud sioe ffasiwn yn yr ysgol, yn arbennig ar gyfer y camerâu?" gofynnodd.

Nodiodd Mrs Powell. "Cawn," cytunodd.

"Bendigedig!" gwaeddodd Fflur a'i hymennydd yn mynd fel trên. "Mae 'na flociau llwyfan pren yn y stiwdio ddawns. Gawn ni eu defnyddio nhw fel llwybr modelu?"

Chwarddodd Mrs Powell. "Cewch debyg iawn," cytunodd. "Mae croeso i unrhyw syniad fel'na. Mae eich swyddog hyrwyddo chi'n dod draw fory i drefnu efo chi a'ch athrawon be fedrwch chi 'neud."

"Gwych!" meddai Fflur.

"A dwi'n gobeithio bydd cyfle i fyfyrwyr eraill yn eich blwyddyn chi gymryd rhan hefyd," ychwanegodd Mrs Powell.

"Mae hynna'n beth da," cytunodd Ffion yn ddifrifol. "Bydd ein ffrindiau ni i gyd wrth eu bodd."

Gwenodd Mrs Powell.

"Da iawn ti, Ffion," meddai. "Dwi'n falch eich bod chi'n teimlo felly. Nid 'mod i'n disgwyl dim byd arall gen ti, Ffion. Bellach dwi'n gwybod dy fod ti bob amser yn barod i rannu popeth." Edrychai Mrs Powell yn hynod fodlon – gan wneud iddyn nhw deimlo'n nes ati nag y gwnaethon nhw erioed.

"Ewch i weld Mr Parri yn syth ar ddiwedd gwersi

bore fory," meddai hi wrthyn nhw. "Fe wnaiff o eich helpu chi i ddewis y gân orau i ddangos eich doniau yn ystod y rhaglen. Bydd eich swyddog hyrwyddo a Mr Penardos yno hefyd i drafod efo pawb beth fydd y peth gorau i'w gynnig i Richard Gwyn. Mae'n gyfnod cyffrous iawn i chi a'r ysgol. Da iawn, y ddwy ohonoch chi!"

"Bydd hyn yn wych!" meddai Fflur fel roedden nhw'n mynd yn ôl i lawr y grisiau. "Be wisgwn ni? Mae'n rhaid i'n dillad ni fod yn drawiadol iawn."

"Rhaid," meddai Ffion. "Ond brysia, neu fe fyddwn ni'n hwyr ar gyfer y wers gemeg!"

"Be 'di'r ots!" meddai Fflur yn ddifater. "Roedd gweld Mrs Powell yn bwysicach na hen gemeg diflas. On'd ydi Siwan Mererid yn ardderchog yn trefnu hyn inni?"

"Mmm," meddai Ffion. "O, ty'd 'laen, Fflur! Ti'n gwybod yn iawn fod yn gas gen i golli rhan gynta gwers."

"Paid â bod yn gymaint o hogan dda, wir!" pryfociodd Fflur. "Ras amdani?!" Rhedodd y ddwy i lawr y grisiau a thrwy'r cyntedd. Bu bron iddyn nhw fynd ar eu pennau i Dei Ffowcs, y garddwr, oedd ar ei ffordd allan.

"Hei! Ara deg!" gwaeddodd fel roedden nhw'n ei osgoi ac yn rhedeg at y drws.

"Mae'n ddrwg gynnon ni, Mr Ffowcs!" chwarddodd Fflur wrth iddyn nhw fynd heibio.

Bu'n rhaid i Fflur ddioddef gwers gemeg a gwers fathemateg cyn y cafodd hi ddweud wrth y lleill am eu sgwrs gyda'r pennaeth. Pan oedden nhw'n gadael y dosbarth o'r diwedd, roedd hi ar fin ffrwydro.

"Bydd yr holl beth yn wych!" broliodd. "Ac mae pawb yn mynd i fod ar y rhaglen."

"Sut felly?" holodd Erin.

"Maen nhw eisio ffilmio darnau o'n diwrnod ysgol arferol ni," eglurodd Ffion yn dawelach. "Felly gobeithio bydd pawb arall yn gallu dangos eu doniau hefyd."

"A dan ni'n mynd i arddangos chydig o ddillad, felly cewch chi i gyd fod yn gynulleidfa!" ychwanegodd Fflur.

"Cynulleidfa?" wfftiodd Llywela. "Dim diolch!

Wnaiff hynny mo'r tro! Byddai'n well gen i 'neud fy nhrefniadau fy hun i fod ar y teledu, diolch yn fawr iawn." Gwthiodd heibio ac i ffwrdd â hi ar ei phen ei hun i'r ystafell fwyta.

"Paid â bod yn gymaint o hen drwyn!" galwodd Fflur ar ei hôl, ond atebodd Llywela ddim.

"Fedri di ddim disgwyl i Llywela fod yn ddiolchgar," meddai Dan wrth Fflur. "Fydd hi ddim eisio *gwylio* tra dach chi'n mynd drwy'ch petha o flaen y camerâu!"

"Ond fetia' i y bydd hi yno," meddai Cochyn, "i ofalu ei bod hi ar y ffilm."

"Bydd," cytunodd Erin. "Dan ni i gyd eisio bod ar y teledu, 'tasa hynny ond am rhyw eiliad neu ddwy hyd yn oed."

Cytunai pawb â hi. Sut medrai rhywun *beidio* bod eisiau ymddangos ar y teledu? Ond doedd Ffion ddim yn edrych fel petai hi'n sicr iawn o hynny.

5. Methu Cysgu

Bu Fflur yn hir iawn cyn mynd i gysgu y noson honno. Roedd Ffion yn effro hefyd. Gorweddai'n berffaith llonydd, yn gwrando ar ei hefaill yn troi a throsi. Ond o'r diwedd clywodd Ffion anadlu Fflur yn arafu ac yn tawelu. Bellach roedd yr ystafell i gyd yn dawel. Dim ond Ffion oedd yn effro.

Fel roedd y dydd yn mynd yn ei flaen, roedd Ffion yn mynd i deimlo'n fwyfwy digalon. Erbyn hyn teimlai'r dagrau'n dechrau llenwi ei llygaid, ac roedd yn ormod o ymdrech i'w dal nhw'n ôl.

Roedd hi wedi troi hanner nos a Mrs Prydderch, yr athrawes fioleg a ofalai amdanyn nhw yn Fron Dirion, wedi bod i mewn i weld oedd y genethod i gyd yn iawn, ac wedi mynd yn ôl i'w rhan hi'i hun o'r tŷ. Roedd Cochyn a Dan yn rhan y bechgyn ar ochr draw'r ysgol, a hyd yn oed Owain Tudur, oedd wedi dweud wrth y myfyrwyr ei fod o'n aros yn y stiwdio recordio yn hwyr iawn weithiau, yn sicr o fod wedi cloi'r drws a mynd adref dros nos bellach. Heblaw'r dylluan a glywai Ffion yn hwtian yn oer yn y coed gerllaw, roedd pobman fel y bedd. Mae'n debyg fod hyd yn oed y ceffylau yn hepian dan olau'r lleuad yn eu cae rhewllyd.

Cydiodd Ffion yn ei chôt nos a llithrodd yn ddistaw allan o'i gwely. Yn droednoeth, cerddodd yn ofalus ar draws yr ystafell ac at y drws. Cleciodd botymau ei chôt nos yn erbyn y dwrn, daliodd ei hanadl a gwrando. Ni symudodd neb. Aeth i'r ystafell ymolchi, gan agor a chau ei llygaid yn y golau cryf. Teimlai'r llawr yn oer fel rhew dan ei thraed noeth.

Teimlai mor ddigalon a phrudd, a'i chalon fel carreg fawr tu mewn iddi. Roedd yr ymdrech o gadw'r anhapusrwydd iddi'i hun mor flinedig, ond fedrai hi ddim cysgu chwaith. Roedd hi eisiau sgrechian crio i gael gwared â'r tristwch oedd yn ei mygu'n lân, ond hyd yn oed rŵan, doedd hi ddim yn meiddio ochneidio'n uchel rhag ofn i rywun glywed.

Gwthiodd ddrws un o'r cilfachau lle'r oedd bàth ar agor, a'i gloi tu cefn iddi. Doedd o ddim yn lle croesawus iawn. Ar yr adeg yma o'r nos roedd y gwres wedi'i ddiffodd a theimlai'n rhynllyd iawn yno. Hyd yn oed pan safai ar y mat bàth pren, roedd ei bodiau fel talpiau o rew. Plygodd ei chôt nos yn ddwbl oddi tani a chlwydo ar ochr y bath gwag. O'r diwedd, gallai adael i'r dagrau lifo.

Roedd Ffion wedi bod yn ddigon bodlon dilyn ei chwaer bob amser. Ond yn ddiweddar, dechreuodd sylweddoli fod hynny wedi bod yn gamgymeriad mawr. Ers pan oedd yr efeilliaid wedi dod i Ysgol Plas Dolwen, roedd Ffion wedi gweld ei bywyd yn cael ei drefnu iddi, a doedd o ddim yn mynd fel y dymunai hi iddo fynd. Ond sut yn y byd y medrai hi gyfaddef hynny wrth ei chwaer, a hithau'n hanner y ddeuawd 'Fflur a Ffion'?

Teimlai'n oerach bob munud, ond fedrai hi ddim mynd yn ôl i'r gwely nes ei bod hi wedi gorffen crio, a theimlai fel petai hi am grio am byth.

Yna clywodd sŵn yn dod o'r ochr arall i'r drws. Daliodd ei hanadl. Mae'n rhaid fod rhywun angen mynd i'r lle chwech. Roedd y dagrau'n oeri ei hwyneb ac roedd hi eisiau eu sychu ymaith, ond doedd wiw iddi symud rhag ofn iddi wneud sŵn a datgelu ei bod hi yno. Doedd bosib na fyddai pwy bynnag oedd yno yn rhuthro'n ôl i'w gwely a hithau mor oer? Arhosodd am hydoedd, ond chlywodd hi neb yn tynnu'r dŵr mewn toiled. Roedd Ffion yn cyffio mwy bob munud. Symudodd un droed rhyw fymryn bach a llithrodd y mat pren yn swnllyd ar hyd y llawr caled. Yna, er mawr arswyd iddi, curodd rhywun ar y drws.

"Ffion? Chdi sy 'na?" Erin oedd yno. "Wyt ti'n crio? O, agor y drws wnei di?" Atebodd Ffion ddim, ac ar ôl rhyw funud neu ddau, gofynnodd Erin, "Wyt ti eisio i mi nôl Fflur?"

"Nac oes!" ochneidiodd Ffion yn bendant. Dyna'r peth olaf roedd hi eisiau.

"Fedri di ddim aros yn fan'na drwy'r nos, Ffion! Gad imi ddod i mewn, neu bydd yn rhaid imi fynd i nôl Mrs Prydderch."

Arhosodd Ffion yn ei hunfan i geisio meddwl beth fyddai orau iddi'i wneud. Ond roedd ei hymennydd wedi rhewi. Roedd hi'n rhy oer, yn rhy flinedig ac yn rhy anhapus i feddwl yn iawn.

"Ty'd 'laen, Ffion," meddai Erin. Saib arall. "Dwi'n mynd i ddeffro Fflur felly. Bydd hi'n gwybod beth i'w 'neud."

Trechwyd Ffion. Pwysodd ymlaen i agor clo'r drws. Yna eisteddodd yn ôl ar ochr y bàth gwag gan ddal i wyro'i phen, nes bod ei hwyneb o'r golwg tu cefn i len ei gwallt hir, gloywddu.

Roedd hi'n gyfyng iawn yno, ond aeth Erin i lawr yn ei chwrcwd wrth ei hochr. Cydiodd yn llaw Ffion – llaw oedd yn wlyb domen o ddagrau. "Ty'd 'laen, Ffion," meddai'n dawel. "Be sy'n bod?"

Roedd caredigrwydd Erin yn ddigon i wneud i Ffion druan ddechrau crio wedyn.

"Ti 'di fferru," meddai, "a dw inna'n oer hefyd. Ei di ddim yn ôl i'r gwely?"

Ysgydwodd Ffion ei phen.

"Pam?" gofynnodd Erin.

Llyncodd Ffion ei dagrau am funud a cheisiodd siarad, ond y cyfan ddaeth allan oedd "Fflur".

"Wyt ti eisio i mi nôl Fflur?"

Ysgydwodd Ffion ei phen yn wyllt.

"Dwyt ti *ddim* eisio Fflur. Pam?"

Ysgydwodd Ffion ei phen yn fwy pendant fyth a gwasgodd Erin ei llaw. "Iawn. Wnawn ni mo'i deffro hi," cytunodd. "Ond os nad wyt ti ei heisio hi, wnei di ddweud wrtha i be sy'n bod?"

Cymerodd Ffion anadl ddofn, grynedig. Erin oedd ei ffrind gorau, ac roedd hi'n ceisio helpu. Ond roedd Ffion wedi meddwl ei bod hi'n well iddi beidio rhannu'i phroblemau â neb. Fedrai Erin ddim helpu. *Fedrai* neb ddatrys ei phroblem hi.

Hyd yn oed wrth feddwl hyn, sylweddolodd Ffion mor braf fyddai rhannu'i chyfrinach efo Erin. Wedi'r cyfan, i beth roedd ffrindiau yn dda os nad i helpu pan oedd rhywun mewn helynt? Er na fedrai Erin wneud i bethau fod yn iawn, teimlai Ffion y byddai hi'n teimlo'n well wedi rhannu ei phroblemau. Teimlai Ffion yn sicr y gallai ymddiried yn ei ffrind i gadw'r gyfrinach oedd yn achosi cymaint o boen iddi. Ond a fyddai hi'n deg rhoi baich ei helbul hi ar ysgwyddau Erin?

"Mae'n rhaid iti ddweud wrth *rhywun*," mynnodd

Erin, tra oedd Ffion yn dal i geisio penderfynu. "Ac mae hi mor oer yn fan'ma. Fe fyddwn wedi fferru'n gorn. Gawn ni niwmonia! Ty'd, Ffion. Fedrwn ni ddim aros yma drwy'r nos!"

"Dos *di* yn ôl i'r gwely 'ta," meddai Ffion yn ddewr, gan geisio swnio'n gadarn drwy'i dagrau.

Anwybyddodd Erin hi. "Mae'n rhaid inni gael hyd i rywle cynnes lle gawn ni siarad," meddai. "Wn i!" ychwanegodd bron ar unwaith. "Y londri! Mae hi'n gynnes yn fan'no bob amser. Ty'd 'laen, Ffion. Awn ni yno efo'n gilydd. Chlywith neb ni. Awn ni yno i ti gael dod atat dy hun."

6. Cyfrinach Ffion

Roedd hi'n anodd dadlau a beichio crio ar yr un pryd, a doedd gan Ffion ddim digon o ynni i ddal ati i brotestio. Felly, wnaeth hi ddim gwrthwynebu llawer wrth i Erin ei gorfodi i adael yr ystafell ymolchi i fynd ar hyd y coridor i'r londri. Roedd hi'n braf cael peidio meddwl ac roedd hi'n glyd a chynnes yno.

Mewn un rhan roedd peiriant golchi enfawr a sychwr, yn ogystal â lle i sychu siwmperi a theits ysgafn. Yn y pen arall roedd cwpwrdd crasu anferthol y gellid cerdded i mewn iddo, gyda silffoedd bob ochr lle'r oedd y dillad gwely sbâr yn cael eu cadw.

"Ty'd 'laen," meddai Erin. "Dringa i fyny i fan'ma efo fi. Fe fyddwn ni'n gynnes braf wedyn." Helpodd Erin Ffion i ddringo ar silff oedd yn hanner llawn o gynfasau a rhoddodd bentwr o gasys gobenyddion iddi roi o dan ei phen. Yna dringodd hithau ar y silff gyferbyn.

Roedd o fel bod ar fwrdd llong, mewn caban cyfyng, ond roedd y pentwr cynfasau yn syndod o esmwyth. Roedd hi'n fendigedig o gynnes yno hefyd, a'r lle yn llawn arogl cotwm glân, cysurus.

"Mae'n rhaid iti ddweud wrtha i be sy'n bod," meddai Erin yn benderfynol. "Fedra i ddim helpu os na wnei di."

Unwaith eto, roedd dagrau Ffion yn bygwth llifo, ond ymdrechodd yn galed i'w hatal. "*Fedri* di mo fy helpu i," meddai wrth Erin.

"Ella y medra i. Ta waeth, dylet ti rannu dy broblemau efo dy ffrindiau. Mae siarad am betha yn help bob amser."

"Ond mae hyn yn wahanol." Sychodd Ffion ei hwyneb ac edrych ar Erin am y tro cynta. "Fedri *di* mo 'ngorfodi i i 'neud rhywbeth dwi ddim eisio'i 'neud. Fedra i mo'i 'neud o. Waeth pa mor galed dwi'n ymdrechu."

"Be ar wyneb y ddaear wyt ti'n feddwl?" edrychodd Erin arni'n hurt.

"Fedri *di* mo 'ngorfodi i i fod yn gantores bop!" Dyna ni. Roedd hi wedi'i ddweud o. Ond doedd Ffion ddim yn teimlo'n well. Ac, o'r olwg ar wyneb Erin, doedd ganddi hi ddim syniad am beth roedd Ffion yn sôn.

"Ond ... rwyt ti *eisio* bod yn gantores bop. Dyna pam rwyt ti ym Mhlas Dolwen, ... ynte?"

"Dyna pam mae *Fflur* yma."

"Felly ... mae Fflur eisio canu, ond dwyt ti ddim?" Nodiodd Ffion.

"Ond pam?" gofynnodd Erin. "Pam doist ti yma felly, os nad wyt ti eisio bod yn y diwydiant cerddoriaeth?"

"Ti'n meddwl 'mod i'n hurt."

"Nac ydw!" gwrthwynebodd Erin. "Dwi ddim yn meddwl hynny siŵr iawn. Ddim yn deall ydw i."

Brathodd Ffion ei gwefus isaf gan sniffian. "Fi ydi hanner y ddeuawd ynte?" meddai'n ddigalon. "Ac mae Fflur yn cael gwneud be mae hi wedi bod eisio'i 'neud erioed. Fedra i mo'i siomi hi. Byddai hi'n torri'i chalon."

"Ond rwyt *ti* yn torri dy galon!" rhesymodd Erin.

55

"Faswn i *byth* yn gwneud rhywbeth na faswn i'n hapus yn ei 'neud. Roedd Mam eisio i mi fod yn rhywbeth call, fel bod yn athrawes, ond cwffiais i'n galed, galed i gael ysgoloriaeth i ddod yma, ac maen nhw'n falch iawn ohona i erbyn hyn! Mae dy deimladau di yr un mor bwysig â rhai Fflur. Be sy mor arbennig yn ei chylch hi fel bod yn rhaid i ti ildio iddi drwy'r adeg? Hen gnawes ydi hi'n dy orfodi di!"

"Dwyt ti ddim yn deall," eglurodd Ffion yn ddigalon. "Dydi hi ddim yn fy ngorfodi i. *Fi* sy ar fai. Does gan Fflur ddim syniad 'mod i'n teimlo fel hyn." Sniffiodd Ffion eto a chymerodd anadl ddofn. Byddai'n rhaid iddi egluro'n iawn neu fyddai Erin druan byth yn deall.

"Dwi wedi mwynhau modelu dillad erioed, ond doeddwn i ddim yn bwriadu gwneud hynny am byth chwaith," meddai Ffion wrth Erin. "Fflur oedd o ddifri ynghylch arddangos dillad. Yna, pan ddywedodd hi y byddai hi'n hoffi rhoi cynnig ar ganu pop hefyd, doedd dim ots gen i. Roeddwn i'n meddwl y byddai hynny'n hwyl hefyd. Ac *mae* o'n hwyl," ychwanegodd. "Ond mae pawb ym Mhlas Dolwen gymaint o ddifri ynghylch llwyddo i gael gyrfa yn y diwydiant cerddoriaeth, a ... a dwi ddim eisio hynny."

"Felly, be wyt ti eisio'i 'neud?" gofynnodd Erin.

Tynnodd Ffion hances bapur o boced ei chôt nos a chwythu'i thrwyn. "Doeddwn i ddim wir wedi meddwl am unrhyw yrfa nes daethon ni yma," cyfaddefodd.

"Roeddwn i'n gwybod 'mod i eisio canu ers pan oeddwn i'n fach," meddai Erin.

"Ac mae Fflur bob amser wedi bod eisio bod yn enwog," meddai Ffion. "Ond erbyn diwedd y tymor diwetha, y cyfan wyddwn i oedd *nad* oeddwn i eisio hynny. Bûm yn meddwl am y peth drwy gydol y gwyliau, a rŵan 'mod i'n ôl yn yr ysgol, dwi'n meddwl y baswn i'n hoffi gwneud rhywbeth efo gwyddoniaeth. Mynd yn feddyg, os medra i."

"Basa hynny'n *wych*!" meddai Erin yn syn.

"Basa hynny'n wych 'taswn i'n llwyddo," cytunodd Ffion. "Ond mae Fflur yn fy mhryfocio i am 'mod i'n dda mewn gwersi, yn arbennig y rhai gwyddoniaeth. Does ganddi hi ddim syniad gymaint dwi'n eu hoffi nhw, a fedra i ddim dweud wrthi hi."

"Pam?" Pwysodd Erin ar un benelin. "Wela i ddim be ydi'r broblem."

Gwenodd Ffion arni'n gam braidd. "Os gwna' i be dwi eisio'i 'neud, bydd hynny'n difetha popeth i Fflur. Wedi'r cyfan, fi ydi hanner y ddeuawd, ynte? Dan ni ddim mor wych â hynny am ganu, ond mae bod yn efeilliaid yn tynnu sylw aton ni. Ac mae Siwan Mererid yn ein hyrwyddo ni efo'n gilydd i fanteisio ar hynny. Dwi mewn andros o bicil, Erin. Wn i ddim be i'w 'neud."

"Fedri di ddim dweud wrth dy fam?"

"Mae hi wedi dotio fod ganddi hi efeilliaid enwog! Faswn i'n ei siomi hi'n ofnadwy. Fedra i ddim dweud wrthi hi."

"O, Ffion!"

Swniai Erin bron mor ddigalon â Ffion. "Mae'n wir ddrwg gen i. Fe fasa'n gas gen i 'neud rhywbeth dwi ddim eisio'i 'neud. Rwyt ti'n wych hyd yn oed yn trio. Fedra i ddim meddwl am ffordd o ddatrys hyn ar y funud, ond dwi'n addo y gwna' i."

Gwenodd Ffion wrth weld Erin mor benderfynol.

Doedd *popeth* yn ei bywyd ddim yn ddrwg. Fedrai hi ddim dymuno cael gwell ffrind nag Erin.

Teimlai Ffion druan mor llipa ar ôl yr holl grio, ac roedd Erin yn flinedig iawn hefyd. Roedd cynhesrwydd y cwpwrdd crasu yn eu gwneud nhw'n gysglyd a'u llygaid yn dechrau cau. Cyn iddyn nhw sylweddoli, roedd y ddwy wedi mynd i gysgu'n drwm.

7. Problem Arall

"Erin, deffra! Mae'n amser codi!" meddai Ffion. Gallai glywed sŵn dŵr yn llifo yn yr ystafell ymolchi, a lleisiau'r genethod eraill. "Ty'd yn dy flaen!"

Rhwbiodd Erin ei llygaid cochion. "Rho'r casys gobenyddion yna'n ôl yn eu lle," meddai'n gysglyd. Sgrialodd y ddwy oddi ar y silffoedd cyn gynted ag y gallen nhw. Wedi sythu'r cynfasau, agorodd Erin ddrws y londri ac allan â nhw i'r coridor. Pwy oedd ar ei ffordd i'r ystafell ymolchi ond Llywela.

"Be dach chi'ch dwy wedi bod yn 'neud?" gofynnodd yn amheus. "Fe ddeffrais i cyn y gloch ac roeddech chi'ch dwy wedi codi cyn hynny."

"Erin sy wedi bod yn fy helpu i i chwilio am hosan," atebodd Ffion, gan ddweud y peth cynta ddaeth i'w meddwl hi.

"Hy!" Diflannodd Llywela i gael cawod, ac

edrychodd Erin a Ffion ar ei gilydd.

"Whiw!" gwenodd Ffion yn falch. "Wnei di ddim dweud be ddywedais i wrth neb, na wnei?" sibrydodd.

"Na wna', wrth gwrs," meddai Erin. "Ti'n gwybod na wna' i ddim. Paid â phoeni."

Unwaith roedd Ffion wedi cael cawod ac ar ei ffordd i gael brecwast, teimlai'n dawelach ei meddwl o'r hanner. Doedd ei phroblem ddim wedi diflannu, ond roedd ei rhannu gydag Erin *wedi* lleddfu dipyn ar ei phoen meddwl. A llwyddodd i wrando ar Fflur yn paldaruo am *Talent-iau* heb gynhyrfu gormod hyd yn oed.

Ar ôl y wers Gymraeg, roedd Ffion wrthi'n hel ei phethau at ei gilydd er mwyn dilyn y lleill pan gydiodd Erin yn ei braich.

"Aros am funud bach," meddai.

"Be sy'n bod?" gofynnodd Ffion.

Arhosodd Erin i Llywela a Cochyn fynd o'u blaenau. Gofalodd fod Fflur a Dan, oedd yn sgwrsio gyda'i gilydd, yn rhy bell oddi wrthyn nhw i glywed beth roedd hi'n mynd i'w ddweud.

"Dwi wedi bod yn meddwl. Os wyt ti o ddifri ynghylch bod yn feddyg, pam na siaradi di efo Mrs Prydderch?"

"Mrs Prydderch? Pam?"

"Athrawes wyddoniaeth ydi hi, ynte? A hi sy'n gofalu amdanom ni yn Fron Dirion hefyd. Dan ni i fod i fynd ati hi os oes gynnon ni broblem."

"Ie, ond ... " Gwyliodd Ffion Fflur yn diflannu o'r ystafell. "Fedr hi ddim helpu."

"Ond gallet ti sôn wrthi hi dy fod ti eisio mynd yn ddoctor. A wyddost ti ddim, ella na fyddet ti eisio gyrfa wyddonol ar ôl siarad efo hi!"

Edrychodd Ffion yn amheus iawn ar Erin.

"Dwi ddim eisio i neb daflu dŵr oer ar f'uchelgais i."

"Wn i," meddai Erin. "Ond ella y byddai hi'n beth da iti drafod efo hi beth bynnag. Fyddai o ddim yn gwneud drwg, ac *ella* y byddai hi'n medru awgrymu rhywbeth fyddai o help i ti."

"Mi feddylia' i am y peth," meddai Ffion. "Diolch. Ty'd 'laen. Byddai'n well inni fynd at y lleill rhag i Fflur ddod yn ôl i chwilio amdana i!"

Yn ystod gwers fioleg Mrs Prydderch, mynnai

meddwl Ffion grwydro at beth roedd Erin wedi'i ddweud. Ddylai hi sôn am ei phroblem wrth Mrs Prydderch? Beth petai'r athrawes yn dweud wrthi am beidio bod mor hurt â gwrthod y cyfle am lwyddiant efo Fflur? Wedi'r cyfan, ysgol ar gyfer pobl oedd eisio bod yn gerddorion, nid meddygon, oedd hon. Roedd yn gas gan Ffion beidio gallu canolbwyntio ar y wers fioleg – ei hoff bwnc.

Pan ganodd y gloch ar ddiwedd gwersi'r bore, roedd Ffion yn araf iawn yn hel ei phethau at ei gilydd, ond gwthiodd Fflur ei llyfrau i'w bag a saethodd tuag at y drws.

"Brysia, Ffi!" gwaeddodd yn llon. "Brysia! Bydd Siwan wedi cyrraedd yma!"

Ochneidiodd Ffion. Roedd hi wedi anghofio fod eu swyddog hyrwyddo yn dod i gyfarfod Mr Parri a Mr Penardos.

"Dwi'n dod!" meddai gan gau ei chas pensiliau.

Aeth popeth yn iawn, gyda Siwan Mererid a'r athrawon yn cytuno ar bethau, ac *roedd* hi'n gyffrous bod yn ganolbwynt y sylw.

Bu pawb yn trafod disgwyliadau'r cynhyrchydd

am dipyn. Credai Mr Penardos y byddai hi'n ddigon hawdd creu llwybr modelu, ac roedd Siwan yn hyderus y gallai hi gael dillad trawiadol ar gyfer y genethod, ond roedd Mr Parri yn meddwl mwy ynghylch beth fydden nhw'n ei ganu.

"Wyddon ni ddim os byddwch chi'n cael eich ffilmio'n cael gwers ganu, neu'n canu cân gyfan," atgoffodd nhw. "Ond rhaglen amdanoch chi'n ceisio cael eich pig i mewn i'r farchnad bop ydi hon, felly mae dewis y gân iawn yn hanfodol bwysig. Dydi'ch lleisiau chi ddim mor wych â hynny, ond dach chi'n cyflwyno'n ardderchog. Mae'n rhaid ichi gael cân sydd ddim yn gofyn gormod yn gerddorol ond sy'n rhoi cyfle ichi 'neud be dach chi'n arfer ei 'neud, sef arddangos dillad. Dwi'n meddwl y dylech chi ganu *'Diwrnod i'r Brenin'*."

Edrychodd pawb braidd yn syn am funud.

"O!" meddai Siwan, yn deall o'r diwedd. "Gwisgo'u dillad gorau am ei bod hi'n ddiwrnod o wyliau? Bendigedig! Mae hynna'n cyd-fynd yn wych efo'ch gyrfa fodelu chi."

"Byddai'n gân llwybr modelu werth chweil,"

cytunodd Ffion yn ddifrifol.

Rhythodd Fflur arni. "Wyt ti'n meddwl y dylen ni ganu tra dan ni'n modelu ar y llwybr?"

Cododd Ffion ei hysgwyddau. "Os wyt ti eisio."

Edrychodd Fflur ar Mr Parri. "Dach chi'n meddwl y medren ni?"

Gwenodd Mr Parri. "Wela i ddim pam lai. Chi ydi'r arbenigwyr modelu. Os dach chi'n meddwl y medrwch chi ganu a modelu, mae'n debyg y medrwch chi."

"Dwi'n meddwl ei fod o'n syniad gwych," meddai Siwan Mererid yn frwdfrydig. "Da iawn ti, Ffion. Dwi'n sicr y bydd y cwmni teledu yn cytuno. Be dach chi'n feddwl, Mr Penardos?"

Nodiodd Mr Penardos. "Dwi'n cytuno efo chi'ch dwy," meddai. "Ond mae'n rhaid inni feddwl am y peth yn ofalus. Dylen ni drefnu'ch symudiadau chi'n fanwl i wneud yn siŵr ein bod ni'n cael yr effaith orau bosib."

"Bydd arnon ni angen dillad gwirioneddol wych!" ychwanegodd Fflur.

"Bydd," cytunodd Siwan Mererid. "Fe geisia i

feddwl am hynny ar fy ffordd yn ôl i Gaerdydd. Mi fydda i'n cysylltu ag un neu ddau o gynllunwyr ffasiwn adnabyddus. Gawn ni weld be fedran nhw gynnig inni."

Cydiodd Fflur yn ei hefaill yn afieithus. "Wyt ti'n gweld?" meddai'n hapus. "Ddywedais i y byddai hyn yn wych, a chdi feddyliodd am y syniad gorau un! Faswn i byth wedi meddwl am ganu a modelu ar yr un pryd. Felly diolch i'r drefn fod 'na ddwy ohonon ni."

8. Calonnau a Meddyliau

"Dan ni'n mynd i ganu *'Diwrnod i'r Brenin'*!" gwaeddoddd Fflur ar draws y coridor ar Erin gan redeg ati i egluro. Bachodd Ffion ar y cyfle i gael cefn ei hefaill tra oedd Fflur ac Erin yn mynd i gael cinio efo'r lleill. Roedd Fflur mor brysur yn dweud hanes y cyfarfod ynghylch y rhaglen deledu – wnâi hi ddim sylwi nad oedd ei chwaer yno am ychydig.

Roedd Ffion wedi penderfynu nad oedd hi'n mynd i sôn am ei phroblem wrth Mrs Prydderch. Roedd hi'n hoff iawn o'r athrawes, ond roedd arni hi ofn y byddai'r cyfan yn mynd yn rhy swyddogol ac y byddai hi'n colli rheolaeth ar y peth petai'n dweud wrthi. Ond roedd hi *yn* meddwl fod syniad Erin o gael gwybod mwy ynghylch gyrfa feddygol yn syniad da.

Roedd hi wedi cerdded heibio i'r ystafell yrfaoedd

amryw o weithiau, ond doedd hi erioed wedi mynd i mewn. Cymerodd yn ganiataol mai lle ar gyfer y myfyrwyr hynaf oedd o, mae'n debyg. Doedd Ffion ddim yn sicr a oedd y rhai ieuengaf yn cael mynd yno o gwbl, ond fyddai hi ddim gwaeth â mynd i mewn i weld, na fyddai?

Rhedodd ar hyd y coridor ac aros o flaen y drws. Agorodd o'n betrus ac aeth i mewn. Doedd neb yno, felly caeodd y drws ar ei hôl ac edrych o'i chwmpas.

Doedd hi ddim yn hollol siŵr beth roedd hi'n disgwyl ei weld, ond rhyw le siomedig braidd oedd yr ystafell yrfaoedd. Llawer o lyfrau trymion tebyg i gatalogau, pentyrrau o daflenni o golegau cerdd a drama, bwrdd crwn gyda chadeiriau cysurus – y cyfan yn ei hatgoffa o ystafell aros mewn deintyddfa. Yna sylwodd ar y cyfrifiadur ar ddesg yng nghornel yr ystafell.

Aeth Ffion ato a chydio yn y llygoden. Ar unwaith, ymddangosodd sgrin yn llawn o ysgrifennu mân, swyddogol yr olwg. Mewn llythrennau breision yn sgrolio ar draws y sgrin roedd y geiriau *Pa yrfa heddiw?* Roedd bocs i'w lenwi o dan yr ysgrifen a fedrai Ffion ddim ymatal. Eisteddodd a theipio *Meddyg.* Yna cliciodd y llygoden drachefn. *Yn sicr, mae meddygaeth yn alwedigaeth werth chweil ...* darllenodd gan deimlo ias o bleser, *... Ond mae'n anodd iawn cael eich dewis ar gyfer cwrs.*

"Dwi'n gwneud yn dda yn y rhan fwya o bynciau," meddai hi'n herfeiddiol o dan ei gwynt, a chlicio drachefn.

Rhaid astudio'n galed mewn prifysgol ar gyfer gyrfa feddygol a bydd gofyn ichi fod yn barod i weithio oriau hir iawn wedi ichi lwyddo yn yr arholiadau.

"Dim problem," meddai Ffion wrth y cyfrifiadur. Cliciodd y llygoden drachefn.

I gael pecyn gwybodaeth, rhowch eich manylion isod, oedd y gwahoddiad. Edrychodd Ffion yn amheus. Doedd hi ddim eisiau rhoi ei henw a'i chyfeiriad i neb. Roedd ei mam wedi ei rhybuddio i beidio datgelu manylion personol ar y rhyngrwyd. Ond doedd bosib na fyddai hyn yn iawn? Yn yr ysgol yr oedd hi ynte? Ac i bob golwg roedd y rhaglen wedi cael ei dyfeisio ar gyfer ysgolion.

Mae'n debyg fod llawer o ddisgyblion hŷn wedi ei defnyddio.

Llenwodd Ffion y bylchau yn ofalus iawn. Defnyddiodd ei henw llawn, Ffion Haf Lewis, a chyfeiriad yr ysgol. Doedd hi ddim yn cofio rhif ffôn yr ysgol, ond ychwanegodd ei hoedran ac arhosodd i'r cyfrifiadur symud i dudalen nesa'r rhaglen. Ddigwyddodd dim byd.

"Damia!" rhegodd o dan ei gwynt. "Dydi o ddim yn mynd i ddweud dim byd arall wrtha i nes y bydda i wedi anfon fy manylion personol." Meddyliodd am funud, gyda'i llaw yn hofran yn ansicr uwchben y llygoden. Beth petai hi'n mynd i helbul am ddefnyddio'r cyfrifiadur heb ganiatâd? Doedd hi ddim eisiau unrhyw drafferth, ond roedd hi eisiau cael gwybod mwy.

Fedrai hi ddim benthyca llyfr gyrfaoedd o'r llyfrgell oherwydd byddai Fflur yn siŵr o fod eisiau gwybod pam roedd hi'n dangos diddordeb mewn meddygaeth. Hynny yw, os oedd llyfrau am fod yn feddyg yn llyfrgell yr ysgol.

Ond beth petai hi'n anfon ei manylion a'r athro

gyrfaoedd yn dod i wybod? Mae'n debyg na ddylai hi hyd yn oed fod yn yr ystafell. Yn sicr, ddylai hi ddim bod yn defnyddio'r cyfrifiadur heb ganiatâd. A phetai hi yn mynd i helbul, byddai Fflur eisiau gwybod beth roedd hi wedi'i wneud.

"Gwell imi beidio," penderfynodd Ffion. Yr eiliad honno, agorodd y drws gan ei chynhyrfu'n lân. Neidiodd ei llaw a chliciodd y llygoden. Wedi dychryn, cliciodd hi wedyn. Er mawr ryddhad iddi, aeth y sgrin yn wag. Mae'n rhaid ei bod hi wedi cau'r rhaglen. Trodd at y drws yn euog, ond bachgen mawr, nid athro oedd yno.

"Mae'n ddrwg gen i," meddai'r bachgen. "Doeddwn i ddim yn bwriadu gwneud iti neidio. Dim ond eisio un o'r taflenni 'ma am Goleg Cerdd a Drama Caerdydd oeddwn i."

Aeth draw at y silff i estyn un. "Dwi 'rioed wedi gweld neb o dy flwyddyn di yn fan'ma o'r blaen," meddai wrthi. "Mae'n rhaid dy fod ti'n awyddus iawn."

Nodiodd Ffion.

"Un o'r efeilliaid sy'n modelu wyt ti ynte?"

gofynnodd.

"Ie," cyfaddefodd Ffion.

"Faswn i ddim yn meddwl y byddech *chi* angen cyngor gyrfaoedd!" meddai.

"Wel ..." meddai Ffion. "Dim ... dim ond cael sbec oeddwn i." Ond doedd gan y bachgen fawr o ddiddordeb.

"Hwyl!" meddai, a'r eiliad nesa roedd o wedi diflannu.

Ochneidiodd Ffion mewn rhyddhad. Edrychodd ar y cyfrifiadur drachefn, ond roedd y sgrin yn dal yn wag. Hen dro nad oedd hi wedi dysgu rhyw lawer, ond doedd yr hyn roedd hi wedi'i ddarganfod yn sicr ddim wedi gwneud iddi ailfeddwl ynghylch bod yn feddyg. I'r gwrthwyneb, roedd hi'n fwy penderfynol nag erioed.

9. Anghytuno

"Be wyt ti'n 'neud, Ffion?" Rhythai Fflur ar ei chwaer. Roedden nhw ar fin cychwyn i wers gynta'r diwrnod, ond roedd ei hefaill yn troelli ei gwallt ac yn ei godi'n fynsen galed ar ei chorun.

"Be wyt ti'n feddwl dwi'n 'neud?" atebodd Ffion. "Gwneud fy ngwallt, wrth gwrs."

"Ond dan ni'n gwneud ein gwalltiau 'run fath bob amser."

"Wel, dwi awydd rhyw newid bach," atebodd Ffion.

"Pam na faset ti'n dweud?" protestiodd Fflur mewn panig. "Does gen i ddim amser i 'neud f'un i fel'na rŵan."

Gwenodd Ffion ar ei chwaer. "Does dim rhaid inni 'neud *popeth* 'run fath, Fflur."

"Ond … dan ni'n gadael ein gwalltiau i lawr bob

amser … os na fyddwn ni mewn sioe ffasiwn!" Arhosodd Fflur gan ddisgwyl i'w chwaer ildio, ond anwybyddodd Ffion hi. Cipiodd Fflur ei bag a brasgamu i ffwrdd, yn teimlo'n iseel iawn.

"Mae Ffion yn 'ngyrru i'n wallgo," meddai hi wrth Llywela ar y ffordd i'r gwersi. "Mae hi mewn byd ar ei phen ei hun hanner yr amser. Fedra i yn fy myw ei chael hi i drafod *Talent-iau* a rŵan, edrycha ar ei gwallt hi!"

"Be sy'n bod arno fo?" chwarddodd Llywela.

"Mae o'n edrych yn hurt," meddai Fflur yn flin. "Dan ni'n gadael ein gwalltiau'n rhydd i lawr ein cefnau bob amser. Mae hi'n gwybod yn iawn mai felly mae pobl yn ein 'nabod ni. Byddan nhw'n ffwndro os bydd hi'n mynd o gwmpas yn edrych fel … "

Dros ei hysgwydd cafodd Llywela gip ar Ffion ac Erin yn eu dilyn nhw ac yn sgwrsio bymtheg yn y dwsin. " … Gwyddonydd gwallgo?" awgrymodd.

Nodiodd Fflur yn wyllt. "Ie, gwyddonydd gwallgo! Neu ysgrifenyddes hen ffasiwn neu rywbeth. Nid fel hanner y ddeuawd 'Fflur a Ffion' beth bynnag."

"Anwybydda hi," meddai Llywela. "Dwyt ti mo'i hangen hi dan draed drwy'r adeg."

Edrychodd Fflur yn amheus. "Fy efaill i ydi hi," protestiodd.

"A?" meddai Llywela yn herfeiddiol.

"Ac mae'n gas gen i pan fydd hi'n dechrau ymddwyn fel 'tasen ni ddim yn efeilliaid." Yna tawodd Fflur.

Roedd hynny'n wir. Nid y ffaith fod Ffion wedi codi'i gwallt oedd yn ei phoeni hi. Y ffaith nad oedd Ffion wedi trafod y peth oedd yn bwysig. Petai Ffion wedi awgrymu eu bod nhw'n codi'u gwalltiau, mae'n debyg y bydden nhw wedi gosod gwalltiau'i gilydd, ac wedi cael tipyn o hwyl wrth wneud hynny. Ond doedd Ffion ddim wedi cynnwys ei chwaer. Roedd hi wedi gwneud ei gwallt ar ei phen ei hun. Dyna oedd yn brifo.

Aeth pethau o ddrwg i waeth i Fflur wrth i'r dydd fynd yn ei flaen.

"Mae dy wallt di'n ddel!" meddai Dan wrth Ffion amser egwyl. "Yn gwneud iti edrych yn hŷn."

"Wnei di fy helpu i i 'neud fy ngwallt i fel'na?"

pryfociodd Cochyn. Cydiodd mewn llond dwrn o'i gyrls coch, hir gan geisio'i godi'n bentwr ar ei gorun. Chwarddodd pawb ond Fflur a Llywela.

"Dwi'n meddwl ei fod o'n gwneud iddi hi edrych fel gwyddonydd gwallgo," meddai Llywela. Ond fel arfer, anwybyddodd pawb hi.

Yn ddiweddarach roedd y dosbarth cyfan yn cael gwers ganu gan fod yn rhaid i bob disgybl yn yr ysgol isaf astudio canu yn ogystal â dawns. Golygai hynny y byddai gan bawb gefndir yn y ddau bwnc hanfodol cyn arbenigo mwy wrth ddewis gyrfa.

Gwnaeth Mr Parri i bawb ganu *'Diwrnod i'r Brenin'*.

"Dwi eisio i chi i gyd feddwl am y geiriau," meddai wrth y dosbarth. "Sut medr Fflur a Ffion eu mynegi nhw orau? Mae'r ffordd mae'r geiriau'n cael eu canu yn bwysig. Mae'r un geiriau, o'u canu nhw'n wahanol, yn gallu newid y teimlad yn sylweddol, yn union fel mae steil soffistigedig gwallt Ffion ac un ffwrdd â hi Fflur mor wahanol, er bod y gwallt ei hun 'run fath." Gwridodd Ffion yn falch a throellodd Fflur ei gwallt rhydd ei hun rhwng ei bysedd. Byddai'n dda ganddi petai ei gwallt ei hun wedi ei godi hefyd. Nid Ffion oedd yr unig un fedrai edrych yn soffistigedig.

Gwrandawodd gweddill y dosbarth tra oedd Fflur a Ffion yn canu'r gân.

"Mae'n ddiwrnod, mae'n ddiwrnod, diwrnod i'r brenin … "

"Harmoni hyfryd, enethod," meddai Mr Parri ar ôl iddyn nhw orffen. "Cydgordio perffaith. Ond fedrwch chi ganu'r gytgan yn gryfach? Beth am i Erin ymuno â chi yn y llinellau yna?" Gwenodd Erin yn fodlon ac ymunodd â Fflur a Ffion wrth y piano.

"Ie! Dyna welliant," meddai Mr Parri wrthyn nhw. "Canwch hi unwaith eto."

Ond wrth ganu roedd Fflur yn pendroni. *Pam roedd Ffion yn mynnu tynnu sylw ati'i hun drwy 'neud ei gwallt yn wahanol? Doedd hi erioed wedi hawlio sylw iddi hi'i hun yn unig cyn hyn. Ond dyna roedd hi'n ei 'neud rŵan. Roedden nhw'n efeilliaid. Sut medrai hi fod fel'na efo'i chwaer, ei hefaill?*

10. Diwrnod i'r Brenin

"Chwiliwch am le gwag a gorweddwch ar wastad eich cefn ar y llawr," meddai Mr Penardos wrth y dosbarth pan gyrhaeddon nhw'r stiwdio ddawns yn ddiweddarach. Roedd cerddoriaeth dawel i'w chlywed yn y cefndir. "Caewch eich llygaid a chanolbwyntiwch ar anadlu. Anghofiwch bopeth arall a meddwl am ddim byd ond anadlu. I mewn ac allan, i mewn ac allan."

Fedrai Fflur ddim ymlacio. Gobeithiai y byddai'n rhaid i Ffion ddatod ei gwallt er mwyn medru gorffwys ei phen ar y llawr yn iawn, ond doedd gwallt Ffion yn ddim problem. Gorweddai wrth ochr ei hefaill yn ddigyffro, ei llygaid ar gau, yn anadlu'n rheolaidd.

"Dwyt ti ddim yn canolbwyntio, Fflur," meddai Mr Penardos. "Llacia dy holl gorff a gwranda ar y miwsig yn iawn. I mewn ac allan, i mewn ac allan. Dyna welliant."

Erbyn iddyn nhw orffen yr ymarferion llacio i gyd, roedd gwallt Ffion yn rhyw ddechrau dod yn rhydd o'r fynsen galed, ond roedd yn dal i dynnu sylw Mr Penardos.

"Dyna'r steil ar gyfer y rhan fwya o ddosbarthiadau bale," meddai wrth bawb. "Ac mae'n ddigon hawdd gweld pam mae'r athrawon yn mynnu hynny. Edrychwch ar siâp pen, gwddw ac ysgwyddau Ffion. Mewn bale clasurol, mae'r ffordd dach chi'n dal eich pen a'ch ysgwyddau yn bwysig iawn. Dydi'r effaith ddim cystal efo gwallt rhydd. Hyfryd, Ffion. Diolch." Edrychodd i gyfeiriad Fflur cyn troi draw yn sydyn. Teimlai Fflur ei bod yn cael ei hanwybyddu.

"Dwi'n meddwl y gwnawn ni ddawns ar gyfer 'Diwrnod i'r Brenin'," aeth Mr Penardos ymlaen, gan newid y disg yn y peiriant.

Griddfanodd Llywela. "Dwi 'di cael llond bol ar 'Diwrnod i'r Brenin'," meddai hi wrth Dan. "Dwi ar dân eisio mynd i 'ngwers unigol ar y bas dwbl."

"Bydd hyn yn ymarfer dosbarth da ar gyfer cydweithio," eglurodd Mr Penardos, gan anwybyddu cwyno Llywela.

Yna gofynnodd i Ffion ddangos sut i symud fel model.

Dim ond oherwydd ei gwallt mae o wedi'i dewis hi, meddyliodd Fflur yn ddig. *Dylai o fod wedi gofyn inni'n dwy 'neud.*

Roedd Mr Penardos eisiau i bawb ddilyn Ffion i fyny ac i lawr llwybr modelu dychmygol fel rhan o drefn y ddawns.

"Na, na!" meddai wrth Llywela. "Rwyt ti'n edrych fel 'taset ti'n martsio ymaith i frwydr, nid yn modelu dillad! Mae Cochyn wedi'i gael o! Edrychwch arno fo!" Roedd Cochyn yn wir wedi deall sut i wneud ac yn swagro fel hen law ar hyd y llwybr, ond gan mai Cochyn oedd o, roedd o'n clownio ac yn edrych yn wirioneddol ddoniol. Gwnaeth i bawb ond Fflur a Llywela chwerthin.

"Be sy'n bod?" gofynnodd Cochyn, gan ymdrechu i gadw wyneb syth, heb yn gymryd arno o gwbl ei fod wedi dynwared Ffion. Edrychai Ffion fel petai'n mwynhau'r hwyl gystal â gweddill y dosbarth, ond ni theimlai Fflur ei bod hi'n rhan o'r hwyl o gwbl.

Martsiodd Llywela draw at gadair yn y gornel ac eisteddodd i lawr yn sorllyd.

"Ty'd 'laen, Llywela!" anogodd Mr Penardos yn glên. "Mae'n rhaid iti gyfaddef ei fod o'n ddoniol iawn."

Tynnodd Llywela ei dwylo'n frysiog drwy'i gwallt du, cwta. "Dyna ydi'r drwg," meddai hi. "Does 'na neb yn y lle 'ma o ddifri! Roedd Mr Parri'n dweud wrthon ni am feddwl am y geiriau, ond ydi hynny wedi newid y ffordd mae'n nhw'n perfformio'r gân? Naddo! Maen nhw'n ei chanu hi fel 'tasen nhw ar fws yn mynd am drip i lan y môr!"

"Wel!" meddai Mr Penardos, gan wenu ar Llywela. "Wyt ti wedi dweud hyn wrth Mr Parri?"

"Dwi ddim haws," atebodd Llywela. Edrychodd ar Fflur am funud. "Nid fy mhroblem i ydi hi."

"*Mae* trip yn ddiwrnod i'r brenin!" meddai Dan. "Ond dwi'n cytuno y byddai'n well petai dipyn mwy o gic yn y gân."

"Rhywun arall efo rhywbeth i'w gynnig?" gofynnodd Mr Penardos.

"Dwi'n hoffi'r ddawns dan ni'n gweithio arni," mentrodd Cochyn. "Ond, ella y gallai ein symudiadau ni fod yn fwy pendant – fel petaen ni'n wahanol gymeriadau sy'n gwylio'r ddwy mewn dillad crand? Wyddoch chi, gallai'r bechgyn fod yn eu hedmygu nhw a'r genod sy efo nhw'n ddig am hynny? A rhai eraill yn gwneud hwyl am eu pennau nhw, ella?"

"Fflur a Ffion? Be sy gynnoch chi'ch dwy i'w ddweud?" gofynnodd Mr Penardos.

"Syniadau da," cytunodd Fflur yn gyflym, cyn i Ffion gael cyfle i ddweud dim byd.

"Ydi'n lleisiau ni'n addas i 'neud i'r gân swnio'n wahanol" gofynnodd Ffion i'w hefaill. "Beth am inni ofyn i Mr Parri be mae o'n feddwl?"

Anwybyddodd Fflur hi a siarad efo Mr Penardos yn unig. "Mr Parri awgrymodd y gân," meddai hi. "Felly mae'n rhaid ei fod o'n meddwl y medren ni ei chanu hi."

"Mae 'na ddigon o syniadau yn deillio o'r wers

yma," meddai Mr Penardos, yn swnio'n fodlon iawn. "Beth am inni geisio cael gwers ar y cyd efo Mr Parri? Ella y medren ni hyd yn oed gyfuno'r canu a'r dawnsio tra byddwn ni'n gweithio ar hyn."

Cytunodd pawb yn frwdfrydig.

"Iawn! Dewch inni orffen rŵan. Dach chi'n gwneud yn dda iawn. Meddyliwch dipyn am *'Diwrnod i'r Brenin'* a dewch â mwy o syniadau efo chi tro nesa. Cofiwch mai ceisio creu rhywbeth ar gyfer Fflur a Ffion fydd yn apelio at bobl *Talent-iau* ydan ni. Does gynnon ni ddim sicrwydd y byddan nhw'n defnyddio dim ohono, ond pwy a ŵyr? Os bydd petha'n mynd yn dda, ella y byddwch chi i gyd ar y teledu!"

11. Canu a Dawnsio

Drannoeth, cafodd Ffion ac Erin gyfle i sgwrsio'n frysiog yn y londri tra oedd Fflur yn brysur yn codi'i gwallt ar ei chorun fel roedd Ffion wedi'i wneud y diwrnod cynt.

"Dwi wedi bod yn meddwl ynghylch be ddywedaist ti am siarad efo Mrs Prydderch," meddai Ffion wrth Erin. "Fe benderfynais i ella y medrwn i gael hyd i wybodaeth ynghylch mynd yn feddyg ar fy mhen fy hun."

"Sut?" gofynnodd Erin.

"Wel, es i i chwilio i'r stafell yrfaoedd."

Edrychodd Erin arni'n edmygus. "Dyna beth oedd syniad da," meddai. "Doeddwn i ddim yn sylweddoli ein bod ni'n cael mynd yno unrhyw bryd dan ni eisio."

"Wn i ddim ydan ni," cyfaddefodd Ffion.

"Felly, gest ti hyd i rywbeth diddorol?"

Ysgydwodd Ffion ei phen. "Dim digon. Mae angen i mi fynd yn ôl i chwilio rhagor. Ond wnaeth be welais i ddim newid fy meddwl. Dwi'n dal eisio trio mynd yn ddoctor os medra i." Petrusodd. "Ond ella y byddai'n well imi fynd i ysgol fwy academaidd, i fy helpu i gael graddau gwell."

Agordd llygaid Erin yn fawr fel soseri. "Gadael Plas Dolwen wyt ti'n feddwl? Wir?"

"Wn i ddim," meddai Ffion wrthi. "Ella. Mi fasa'n well gen i beidio. Dwi wrth fy modd yma. Ond ella y bydd yn rhaid imi," gwenodd yn ddigalon. "Fydd Fflur ddim yn hapus o gwbl os bydd yn rhaid i mi adael."

"Aiff hi drwy'r to!" cytunodd Erin. "Ond bydd yn rhaid iti ddal dy dir os mai dyna wyt ti wir eisio."

"Bydd," meddai Ffion wrthi. "Wn i 'mod i wedi bod yn wirion yn gadael llonydd iddi hi gael gymaint o'i ffordd ei hun. Ond bydd hynna i gyd yn newid rŵan 'mod i'n gwybod be sy'n bwysig i mi. Y drwg ydi, er ei bod hi'n gweiddi ac yn cael pyliau o dynnu'n groes ac yn strancio, dydi hi ddim mor galed ag mae hi'n cymryd arni. Mae hi'n dibynnu gymaint arna i."

"Wir?" meddai Erin. "Wyddwn i ddim."

"Wn i fod pawb yn meddwl mai hi ydi'r bòs," meddai Ffion, "ond dydi hi ddim hanner mor gryf â fi a dweud y gwir. Mae hi'n ddigon ansicr ohoni'i hun. Dyna ydi'r drwg o fod yn un o efeilliaid. Os nad wyt ti'n ofalus, byddi di'n hanner unigolyn yn lle un cyfan. Mae hi wedi llwyddo i lolian a gwneud hynny o helynt mae hi eisio am ei bod hi'n gwybod na fydda i byth yn cyffroi."

"Roedden nhw bob amser yn gwahanu efeilliaid yn fy hen ysgol i, ac yn eu rhoi nhw mewn dosbarthiadau gwahanol," meddai Erin.

"Bechod na fasa ein hen ysgol *ni* wedi gwneud hynny," meddai Ffion. "Fyddai Fflur ddim wedi medru mynnu ein bod ni'n gwneud yr un peth bob amser wedyn."

Tynnodd Ffion ddilledyn oddi ar y silffoedd sychu a'i blygu.

"Mae Fflur mor benderfynol fod y ddwy ohonon ni'n gwneud popeth gyda'n gilydd," meddai. "Dydi hi 'rioed wedi meddwl am y dyfodol. Be sy'n mynd i ddigwydd pan fyddwn ni eisio cariadon? Fyddwn ni'n gorfod disgwyl nes byddwn ni'n cyfarfod bechgyn sy'n efeilliaid a'r ddwy ohonon ni'n eu ffansïo nhw?" Edrychai'n boenus. "Fedra i ddim byw fel'na."

"Felly be wyt ti'n mynd i 'neud?" gofynnodd Erin.

"Mynd fy ffordd fy hun," meddai Ffion. "Dyna'r cyfan fedra i 'neud. Doedd o ddim yn plesio Fflur fod 'ngwallt i'n wahanol i'w hun hi, ond dwi'n gobeithio y bydd hi'n arfer efo fi'n gwneud petha gwahanol."

"Ond mae *hi'n* codi'i gwallt rŵan," atgoffodd Erin hi. "Byddwch chi'ch dwy 'run fath eto. Cofia di y bydd hi'n cadw llygad barcud arnat ti bob tro byddi di'n cydio mewn brws gwallt!"

"Bydd Fflur yn blino copïo yn fuan iawn," meddai Ffion. "Mae hi'n rhy ddiamynedd. Ac mae hi wrth ei bodd yn gadael ei gwallt yn rhydd i lawr ei chefn. Mae hi'n cwyno bob tro dan ni'n gorfod cael steil gwahanol mewn sioe ffasiwn. Cyn bo hir bydd hi'n sylweddoli nad oes raid inni edrych 'run ffunud drwy'r adeg ac ella wedyn bydd hi'n arfer efo'r syniad nad oes dim o'i le i'n bywydau ni ddilyn trywydd gwahanol hefyd."

"Ty'd wir," ychwanegodd, gan edrych ar ei horiawr. "Awn ni i chwilio amdani hi. Fel fyddwn ni'n hwyr i'r wers os na frysiwn ni."

* * *

Drannoeth yn y pnawn, roedd pawb yn y stiwdio ddawns ar gyfer gwers o ddawnsio a chanu gyda'i gilydd. Roedd Mr Penardos wedi codi llwybr modelu gyda'r blociau llwyfan pren, ac roedd o a Mr Parri wrthi'n trafod sut i gyfuno'r canu a'r modelu gyda'i gilydd.

"Dwi'n meddwl y medr gweddill y dosbarth wneud mwy na bod yn ddim ond cynulleidfa," meddai Mr Parri.

Nodiodd Mr Penardos. "Dwi'n cytuno. Awgrymodd Cochyn ein bod ni'n cael pobl yn gwylio'r ddwy, ac mae'r ddawns dan ni'n gweithio arni'n adlewyrchu hynny erbyn hyn. Mae'r ddwy yn eu dillad hardd yn tynnu sylw gwahanol bobl sy'n dod at y llwybr modelu – rhai ohonyn nhw'n eu hedmygu a'r lleill yn sbeitlyd. Mae hynny'n rhoi cyfle i Fflur a Ffion wenu a bod yn glên efo rhai ac i droi'u trwynau ar y lleill wrth ganu. Wyt ti'n meddwl y bydd hynny'n gweithio?"

"Wrth gwrs. Fe rown ni gynnig arni."

Roedd Fflur eisiau sgrechian yn gynhyrfus, ond gyda'i gwallt ar ei chorun fel un Ffion, roedd hi eisiau ymddangos yn soffistigedig fel roedd ei chwaer wedi'i wneud. Bodlonodd ar wenu ar Erin yn lle hynny.

"Fe ddylen ni ddechrau rŵan," ychwanegodd Mr Parri. "Ble mae dy chwaer?" gofynnodd i Fflur. "Fydd 'run ohonoch chi'ch dwy yn hwyr fel arfer."

"Wn i ddim," atebodd Fflur. "Fe ddywedodd hi y byddai hi'n dod yn y munud," meddai wrth yr hyfforddwr llais yn drwsgl. Teimlai gywilydd braidd am na wyddai ble'r oedd ei hefaill.

Ar hynny, agorodd y drws a daeth Ffion i mewn. Teimlodd Fflur ei hun yn gwrido o ddicter a dryswch. Beth yn y byd mawr oedd yn bod ar Ffion? Ychydig eiliadau'n ôl yn unig roedd ei gwallt i fyny ar ei chorun, yn fynsen fel un Fflur, ond erbyn hyn roedd o'n gudynnau o bobtu'i phen gyda sgrynshis plu coch, hurt yn ei ddal yn ei le.

"Ym … roeddwn i'n meddwl ein bod ni'n mynd i drio rhoi tipyn o gic yn y gân 'ma," meddai Mr Penardos yn chwithig. "Wyt ti'n meddwl mai golwg fel'na ddylai fod arnat ti, Fflur?"

Edrychodd Fflur yn gas iawn ar yr athro. "*Ffion* ydi hi, nid Fflur," meddai wrtho. "*Fi* ydi Fflur!" Ac yna, heb reswm, teimlodd y dagrau poethion yn llifo i lawr ei gruddiau. Roedd Mr Penardos wedi meddwl mai Ffion, efo'i gwallt yn gudynnau hurt oedd hi! Doedd o ddim yn meddwl ei bod hithau hefyd yn medru edrych yn soffistigedig? Sôn am annheg. Cyn iddi godi mwy o gywilydd fyth arni'i hun, cuddiodd Fflur ei phen a rhedodd allan drwy'r drws. Edrychodd pawb ar ei gilydd yn teimlo'n annifyr iawn. Beth oedd yn bod?

"Mae'n ddrwg gen i," meddai Ffion dan ei gwynt. "Fe af i ar ei hôl hi."

Cafodd Ffion hyd i'w hefaill yn nhoiledau'r merched. "Be sy'n bod?" gofynnodd.

"Cyn gynted ag yr ydw i'n gwneud fy ngwallt fel d'un di, rwyt ti'n ei newid o eto," cyhuddodd Fflur drwy'i dagrau. "Pam wyt ti'n bod mor annifyr? Cymysgodd Mr Penardos rhyngom ni, er na faswn i *byth* yn gwneud fy ngwallt fel'na."

"Doeddwn i ddim yn bwriadu dy gynhyrfu di gymaint," ochneidiodd Ffion. "Mae'n ddrwg gen i."

"Felly *faint* oeddet ti'n bwriadu fy nghynhyrfu i? Fi ydi dy *chwaer* di!" gwaeddodd Fflur gan grio. "Pam wyt ti'n trio tynnu'r sylw oddi arna i?"

"Dydw i ddim," protestiodd Ffion. "Dim ond trio bod yn fi fy hun dwi."

Ond doedd Fflur ddim yn gwrando. "Wel, wnaiff o byth weithio," sniffiodd. "Dwi'n gystal model â chdi bob tamaid. Fe fydda i'n gystal cantores bop hefyd. A chei di ddim dwyn y sylw i gyd yn ystod *Talent-iau* chwaith, achos dwi'n gwybod sut i fod yn broffesiynol go iawn, a dwyt ti ddim." Sychodd Fflur ei llygaid cochion yn ddig a lluchiodd y drws ar agor. "Ty'd yn dy flaen. Mae'n rhaid inni fynd yn ôl i'r wers." Brasgamodd Fflur allan o'r lle chwech ac yn ôl i'r stiwdio ddawns.

"Ty'd rŵan, Fflur," meddai Mr Parri, yn cael ei henw'n iawn y tro hwn. "Paid â mynd dros ben llestri am fod Mr Penardos wedi drysu rhyngoch chi'ch dwy."

Ymddiheurodd Fflur a Ffion, ond gwrthododd Fflur edrych ar ei hefaill ac roedd awyrgylch hynod annifyr yn yr ystafell.

"Fe ddylech chi fedru rhoi tipyn mwy o deimlad i'r gân 'ma," meddai Mr Parri. "Pwysleisio ystyr pob gair, gofalu anadlu yn y lle iawn er mwyn ichi fedru cynyddu at yr uchafbwynt ar y diwedd. Gofalwch beidio llyncu'r gair olaf. Dewch, rhown ni gynnig arni unwaith eto."

Cofiodd Fflur mor flin oedd hi efo Ffion a chanolbwyntiodd ar hynny. Canodd y ddwy wedyn, a nodiodd Mr Parri.

"Gwell. Gwell o lawer. Roeddwn i wedi meddwl eich bod chi eisio cadw'r gân yn arwynebol a chanolbwyntio ar y modelu, ond mae petha'n gweithio'n dda fel hyn. Mae llais cryf Erin gynnon ni rŵan ac mae hynny'n gwneud y gytgan yn fwy dramatig, ond mae angen mwy o deimlad i'r gân. Oes gan rhywun ragor o syniadau?"

"Rhywbeth i Llywela 'neud i'w chadw hi rhag bod yn ddrwg ei hwyl," awgrymodd Cochyn yn chwareus. Chwarddodd pawb a diflannodd yr awyrgylch annifyr ar ôl ffrae'r efeilliaid.

"A dweud y gwir, dwi'n meddwl fod hynna'n syniad da, Cochyn," meddai Mr Penardos. "Dan, dwyt ti na Llywela yn fawr o ddawnswyr a dweud y gwir, ond dach chi'n chwarae'r drymiau a'r bas yn wych. Dach chi'n meddwl y medrech chi gyfansoddi cyflwyniad jazzlyd i'r gân?"

Edrychodd Dan a Llywela ar ei gilydd yn wên o glust i glust. "Iawn!" cytunodd y ddau ar unwaith.

"Felly, gawn ni chi'ch dau yn fan'ma," meddai Mr Penardos wrth y ddau gerddor, "ar waelod y llwybr modelu. Ar ddechrau'r pennill cynta, bydd Fflur a Ffion yn cerdded i lawr y llwybr. Y gweddill ohonoch chi, symudwch chi i fyny i'w cyfarfod nhw gan actio a dawnsio. Ciliwch yn ôl ar ddechrau'r pennill olaf, gan adael iddyn nhw gael y sylw i gyd. Yna dewch yn ôl erbyn y diweddglo. Rown ni gynnig arall arni."

Edrychai popeth yn addawol iawn. Dyma sut roedd pethau i fod. Fflur a Ffion yn symud, yn gwneud beth roedden nhw wedi hen arfer ei wneud, ond hefyd yn canu.

"Daliwch ati!" gwaeddodd Mr Penardos fel roedden nhw'n mynd drwy'r perfformiad drachefn. "Ciw i Fflur ... a ... "

Fel roedd yr efeilliaid yn gorffen y gytgan olaf gydag Erin, daeth y gweddill at y llwybr drachefn. Safodd Fflur a Ffion mewn steil ac arhosodd y "gynulleidfa" yn llonydd.

Curodd Mr Parri a Mr Penardos eu dwylo. "Da iawn chi, pob un ohonoch chi," meddai Mr Parri. "I ffwrdd â chi rŵan, neu mi fyddwch chi'n hwyr yn y wers nesa."

Tynnodd Fflur y clipiau o'i gwallt a gadael iddo syrthio'n llen hir, gloywddu dros ei hysgwyddau fel arfer. Edrychodd yn gas iawn i gyfeiriad ei hefaill. Efallai nad oedd ceisio chwarae efo steiliau gwallt gwahanol yn syniad da wedi'r cwbl. Fyddai dim byd, byth bythoedd, yn medru'i pherswadio hi i wisgo sgrynshis plu coch. Ond roedd Ffion yn ymddwyn yn rhyfedd, yn rhyfedd iawn, iawn, a doedd Fflur ddim yn hoffi'r peth o gwbl.

12. Ffion yn Bwrw'i Bol

Drannoeth galwodd Mrs Powell ar bawb i gyfarfod yn y theatr am fod ganddi gyhoeddiad pwysig i'w wneud.

"Bydd criw teledu yn ffilmio yma yn ddiweddarach yn ystod yr wythnos," meddai. Sythodd pawb a gwrando'n astud. Felly roedd y straeon fu'n dew ar hyd y lle yn wir!

"Bydd criw yn ffilmio ar gyfer y gyfres *Talent-iau* ac yn dilyn hanes Fflur a Ffion Lewis."

Edrychodd y myfyrwyr ar y naill! a'r llall yn gyffrous.

"Byddan nhw'n ffilmio rhan o'r diwrnod ysgol ar gyfer y rhaglen a rhan o berfformiad modelu mae'r dosbarth wedi bod yn ei ymarfer."

Cododd amryw o aelodau'r flwyddyn, gan gynnwys Cochyn, eu dwylo i fyny'n fuddugoliaethus a gweiddi. Edrychodd Mrs Powell yn hyll arnyn nhw nes eu bod nhw'n tawelu drachefn. Gwenodd Fflur a Ffion ar ei gilydd, gan anghofio'r ffrae am funud.

"Bydd dyn camera crwydrol yn cyrraedd yma am ddeg o'r gloch fory," meddai Mrs Powell. "A bydd criw cyfan yn y stiwdio ddawns y pnawn dilynol ar gyfer y perfformiad a rhai cyfweliadau, felly does neb ond y rhai sy'n cael eu ffilmio i fynd ar gyfyl y lle y diwrnod hwnnw. Hoffwn i bwysleisio nad oes neb o gwbl i darfu ar y criw ffilmio, eu dilyn nhw o gwmpas, mynd o dan draed na gwneud dim byd o gwbl fydd yn gwneud eu gwaith nhw'n fwy anodd nag ydi o'n barod. Maen nhw wedi gofyn i bawb anwybyddu eu presenoldeb cyn belled ag y mae hynny'n bosib, a dyna dwi'n ddisgwyl i chi i gyd ei 'neud."

Wrth i Ffion a Fflur a'u ffrindiau adael y theatr, roedd pawb o'u cwmpas yn byrlymu siarad.

"Iawn!" gwaeddodd Cochyn, a dechrau cadw reiat. Roedd hi'n anodd chwyrlïo rownd a rownd ar un goes yng nghanol cymaint o fyfyrwyr eraill, ond rhywsut llwyddodd i wneud hynny heb daro gormod o bobl.

"Da iawn chi!" meddai un o'r genethod hynaf oedd newydd lofnodi cytundeb efo cwmni recordio.

"Da iawn chdi hefyd," atebodd Ffion. Edrychodd yr eneth yn syn am funud ac yna gwridodd.

"Diolch," meddai, a'i hwyneb yn goleuo'n llawen. "On'd ydi o'n wych pan fydd popeth yn mynd yn iawn iti?" Gwthiodd ei ffordd drwy'r dyrfa ac i ffwrdd â hi gan adael Ffion yn sefyll yn llonydd yn ei gwylio'n mynd, gan feddwl mor braf fyddai teimlo 'run fath â hi.

Wrth ochr Ffion roedd Fflur yn hawlio sylw criw o edmygwyr. "Y cyfuniad o fodelu a chanu sydd wedi denu'r cwmni teledu," meddai. "Mae digon o bobl yn ceisio symud o'r naill beth i'r llall, ond does dim llawer ohonyn nhw'n llwyddo. Dan ni'n gobeithio y bydd astudio yn yr ysgol yma yn gymorth i'n breuddwyd ni ddod yn wir."

Roedd hi'n dda – roedd yn rhaid i Ffion gyfaddef hynny. Swniai Fflur mor hyderus a phrofiadol pan oedd hi'n ganolbwynt y sylw. Efo myfyrwyr eraill yn unig roedd hi'n siarad, ond gallai fod yn cael ei chyfweld o flaen camera teledu yn barod. Oedden, roedden nhw'n efeilliaid ac yr un ffunud â'i gilydd, ond tra bod Fflur yn mwynhau ymddwyn fel seren enwog dlos, roedd Ffion yn bell o fod yn teimlo'r un fath â hi.

Sylwodd ar Erin yng nghanol y fflyd. "Wyt ti'n dod yn ôl i'n hystafell ni?" gofynnodd, unwaith y llwyddodd i gyrraedd ei ffrind.

"O'r gorau."

Fel roedd y myfyrwyr yn mynd i nôl eu llyfrau ar y ffordd i'w dosbarthiadau, dechreuodd y dyrfa wasgaru.

"Mi faswn i'n hoffi medru rhoi fy rhan i yn y peth teledu 'ma i ti," meddai Ffion fel roedden nhw'n cerdded ar hyd y llwybr i dŷ Fron Dirion lle'r oedden nhw'n byw.

"Paid â phoeni," meddai Erin. "Mi fyddi di'n mwynhau'r profiad pan fydd o'n digwydd."

"Bydda," cyfaddefodd Ffion. "Mae'n debyg y bydda i, ond mae'r cyfan yn gwneud imi deimlo fel 'taswn i ar fws â'r gyrrwr wedi colli rheolaeth arno a finna'n methu neidio oddi arno fo!"

"Bore oer, wynebau pryderus!" meddai Fflur wrth redeg atyn nhw ar hyd y llwybr graeanog crenshlyd. "Peidiwch â phoeni. Byddwch chi'ch dwy yn iawn. Dim ond iti anwybyddu'r camera, Erin. Fydd o ddim arnat ti rhyw lawer beth bynnag." Trodd at Llywela ac amryw o enethod eraill oedd yn cerdded y tu ôl iddi. "Barod?" meddai, gan smalio'u ffilmio nhw. "Ar ôl brecwast da, mae'r genethod yn mynd i nôl eu llyfrau ar gyfer y wers gynta!"

* * *

Amser cinio cyrhaeddodd pentwr o barseli ar gyfer yr efeilliaid. Gwyliodd Erin a Llywela y ddwy yn dadbacio'r dillad roedden nhw wedi'u cael ar gyfer y ffilmio. Roedd Siwan Mererid wedi mynd i drafferth mawr er mwyn sicrhau y byddai'r ddwy yn edrych ar eu gorau.

"Waw! Edrychwch faint sy 'na!" meddai Erin pan welodd hi ddwy ffrog, pentwr o dopiau gwahanol ac amryw o sgertiau a pharau o jîns yn dod i'r golwg. "Pam dach chi angen gymaint o ddillad?"

"Er mwyn inni gael dewis," eglurodd Fflur. "Ar gyfer y perfformiad mae'r ffrogiau," ychwanegodd wrth ddarllen nodyn gan Siwan Mererid. "Roedd hi'n meddwl y bydden nhw'n ein siwtio ni."

"Dyma fy hoff gynllunydd ffasiwn i!" meddai Fflur, gan dynnu gorchudd y ffrog a dangos y label i Llywela. "Maen nhw'n andros o ddrud. Hen dro na fydden ni'n cael eu cadw nhw."

"Chewch chi ddim?" gofynnodd Erin.

"Dydi cynllunwyr ddim yn rhannu'r math yma o ddillad am ddim," meddai Fflur wrthi.

"Rhain dwi'n hoffi," meddai Ffion gan ddangos y dillad anffurfiol. "Mae Siwan Mererid yn dweud y cawn ni ddewis unrhyw beth dan ni'n ei hoffi'n arbennig i'w gwisgo'n ystod y dydd. O! ac mae hi'n dweud y cawn ni gadw un set o ddillad bob un i ni ein hunain, ond chawn ni mo'u rhoi nhw i neb!"

"Dydi'r rhain ddim yn ddillad arbennig, dach chi'n gweld," eglurodd Fflur. "Mae'r label yma ar gael mewn unrhyw stryd fawr. Ac mae'n debyg y gwerthan nhw fwy ohonyn nhw os bydd plant yn ein gweld ni'n eu gwisgo nhw."

Edrychodd Llywela i lawr ei thrwyn ar y dilladau lliwgar. "Hy!" meddai gan luchio top gwyrdd llachar o'r neilltu yn ddirmygus. "Faswn i *byth bythoedd* yn gwisgo hwnna!"

"Am na fyddi di byth yn gwisgo dim byd ond du!" chwarddodd Fflur.

"Dydi Siwan ddim yn sôn dim byd yn ei nodyn am roi *benthyg*!" meddai Ffion. "Be am hon, Erin? Wyt ti'n ei hoffi hi?" Nodiodd Erin yn frwdfrydig ar siwmper binc, binc o wlân meddal bendigedig. "Fe gadwa' i hon, felly," meddai Ffion. "Fe wisga' i hi ond gei di ei benthyg hi unrhyw adeg rwyt ti eisio, Erin."

Drwy gydol amser cinio, bu'r genethod yn trio'r dillad, ac yn rhy fuan o lawer canodd y gloch ar gyfer gwersi'r pnawn.

"Dewch, mae'n well inni gadw'r rhain," meddai Ffion. "Oes gen ti le yn dy gwpwrdd dillad, Erin? Mae f'un i yn llawn dop!"

* * *

Y noson honno eisteddai Fflur, Ffion ac Erin ar eu

gwelyau yn trafod y criw ffilmio fyddai'n cyrraedd drannoeth.

"Dwyt ti ddim yn mynd i 'neud rhywbeth hurt efo dy wallt fory, nac wyt?" meddai Fflur wrth Ffion. "Bydd Siwan Mererid eisio inni ei adael o'n rhydd dros ein hysgwyddau yn ôl yr arfer. Os wyt ti eisio rhywbeth gwahanol," ychwanegodd, "dweud wrtha i rŵan."

"Nid fy ngwallt sy'n fy mhoeni i," meddai Ffion.

"Be felly?" gofynnodd Fflur yn amheus. "Wel? Dyweda!"

Edrychodd Ffion i fyw llygaid ei chwaer. Gwelodd nhw'n agor led y pen wrth i Fflur sylweddoli fod rhywbeth mawr yn bod. Dechreuodd calon Ffion guro'n gynt ac yn gynt.

Gallwn i smalio mai teimlo'n nerfus dwi, meddyliodd. *Does dim rhaid imi gyfaddef be sy'n bod go iawn. Dwi ddim eisio'i chynhyrfu hi.*

Edrychodd ar Erin yn eistedd yn dawel ar ei gwely. Edrychodd Erin arni hithau cyn troi draw, ond roedd hynny'n ddigon i roi hyder i Ffion.

Mae hyn yn hurt. Mae hyn yn bwysig i mi. Mae be

dwi eisio yn cyfri. Dwi'n bwysig hefyd. Mae'n rhaid imi fod yn ddewr.

Arhosai Fflur am ateb, a golwg wedi dychryn yn ei llygaid erbyn hyn. "Be?" gofynnodd. "Be sy'n bod?"

Trodd Ffion ei phen gan hel ei gwallt yn ôl a chodi'i gên yn gadarn. "Dwi'm eisio bod yn enwog," meddai.

13. Ffraeo

Agorodd Fflur ei cheg yn fawr. Rhythodd yn syn ar Ffion.

"Be wyt ti'n feddwl? Ddim eisio bod yn enwog?"

Cododd Ffion ar ei thraed a dechrau cerdded yn ôl ac ymlaen, ei chalon yn curo'n wyllt.

"Nid yr enwogrwydd sy'n fy mhoeni i'n hollol. Roeddwn i'n arfer mwynhau hynny i ddechrau," byrlymodd. "Ond dwi ddim eisio bod yn fodel nac yn gantores bop am byth. Mae 'na betha eraill fasa'n well gen i 'neud."

"Fel be?" gofynnodd Fflur yn wantan.

"Mae'n hwyl bod yn fodel, ond mae 'na ragor na hynny i fywyd," aeth Fflur yn ei blaen. "Hira yn y byd dwi yn yr ysgol yma, mwya dwi'n sylweddoli nad ydw i eisio bod yn gantores bop chwaith. Mae ... mae o'n beth mor arwynebol."

"*BE?!*" gwaeddodd Fflur, a sylweddolodd Ffion ei bod hi wedi mynd yn rhy bell.

"Rhag dy gywilydd di!" bloeddiodd Fflur. "Yn *MEIDDIO* dweud y fath beth? Be am yr holl bleser mae cantorion pop yn ei roi i gynulleidfaoedd? Be am yr holl betha mae cantorion pop a modelau yn ei 'neud ar gyfer elusennau? Ydi hynny'n arwynebol? *YDI O?*"

Ysgydwodd Ffion ei phen. "Nac ydi," meddai. "Nid dyna oeddwn i'n ei feddwl … "

"Does neb yn gwybod be wyt ti'n ei feddwl!" gwaeddodd Fflur. "Roeddwn i'n arfer gwybod, ond wn i ddim erbyn hyn. Wn i ddim be wyt ti'n feddwl wyt ti'n 'neud, ond dwi ddim yn credu gair wyt ti'n ddweud. Dwyt ti 'rioed wedi awgrymu nad wyt ti'n hoffi be dan ni'n 'neud. Pam aros tan rŵan? Dwyt ti ddim yn meddwl ei fod o braidd yn rhyfedd dy fod ti wedi aros nes ein bod ni ar fin cael cyfle gorau ein bywydau cyn iti godi helynt?"

Roedd yr olwg wallgo ar wyneb Fflur yn ddigon i godi ofn ar neb.

"*Gwenwynllyd* wyt ti – am 'mod i'n gweithio mor

galed yn gwneud be dan ni'n 'neud," sgrechiodd ar Ffion. "Dwyt ti 'rioed wedi gwneud dim byd ond fy nilyn i a rŵan rwyt ti'n ofni y bydda i'n serennu fory. A dwyt ti ddim eisio hynny. O, nac wyt! Dwyt ti ddim eisio i mi fod yn well na chdi am 'neud dim byd, nac wyt?"

"Ond … "

"Rwyt ti wedi bod yn trio 'nghynhyrfu fi, on'd wyt ti? Rhag i mi 'neud yn dda o flaen y camerâu. Ond aros di … " Gwthiodd Fflur ei hwyneb yn union o flaen wyneb ei chwaer. "Gei di weld." Roedd Fflur yn anadlu'n drwm, a bron yn ysgyrnygu o ddicter. "Gei di weld pa mor broffesiynol y medra i fod. Mi fydda i'n disgleirio o flaen y camerâu, ac mi fydda i'n *disgleirio* fel cantores hefyd, waeth gen i pa mor galed y byddi di'n ceisio fy rhwystro i."

Aeth hi'n dawel fel y bedd yn yr ystafell. Yna, dechreuodd Fflur feichio crio. Cipiodd ei siaced oddi ar ei chadair, hyrddiodd y drws yn agored a rhedodd allan ar ei phen yn erbyn Llywela oedd ar ei ffordd i mewn. Gwthiodd Fflur hi o'r neilltu'n hegar cyn diflannu nerth ei thraed i lawr y coridor.

"Wel?" gofynnodd Llywela yn fêl i gyd. "Ddylwn i fynd ar ei hôl hi?"

Edrychodd Erin ar Ffion, ond roedd Ffion wedi taflu'i hun ar ei gwely ac yn gorwedd yno â'i hwyneb wedi'i suddo i'w gobennydd.

Cododd Llywela ei hysgwyddau. "O, wel," meddai'n ddidaro. "Waeth imi fynd ddim, felly," a llithrodd yn ôl allan o'r ystafell.

Aeth Erin at wely Ffion. "Ffion?" meddai'n betrus.

Rowliodd Ffion i'w hwynebu a chodi ar ei heistedd, ei llygaid yn gochion a golwg druenus iawn arni.

"Mae'n ddrwg gen i 'mod i wedi dweud yr hyn ddywedais i am gantorion pop," sibrydodd. "Doeddwn i ddim yn ei feddwl o. A dydi o ddim yn wir. Mae 'na bobl arwynebol a phobl dda ym mhob gwaith bron."

"Wn i," meddai Erin.

"Gwylltio wnes i. Gwylltio efo fi fy hun mae'n debyg, am adael i betha fynd mor bell a chael fy hun yn yr helbul yma. Ddywedais i ddim byd yn iawn, a rŵan mae Fflur wedi cael yr argraff hollol anghywir. Dydi hi ddim callach o'r hyn dwi eisio, a dan ni wedi cael andros o ffrae am ddim byd. O! Be wna' i?"

"Fe ddylwn i fod wedi rhwystro Llywela," meddai Erin. "Wnaiff hi ddim byd ond gwneud petha'n waeth."

"Dydw i ddim haws â mynd ar ôl Fflur tra mae hi fel hyn," meddai Ffion mewn llais bach, bach. "Byddai hynny'n ei gwneud hi'n waeth byth. Y peth gorau ydi gadael llonydd iddi nes daw hi ati'i hun."

Doedd dim mwy i'w ddweud. Yn ddistaw, dechreuodd Ffion ac Erin baratoi ar gyfer mynd i'r gwely. Ond hyd yn oed ar ôl iddyn nhw orffen yn yr ystafell ymolchi, ddaeth Fflur na Llywela ddim i'r fei.

"Wyt ti'n meddwl eu bod nhw'n iawn?" gofynnodd Erin.

"Gobeithio," meddai Ffion. "Fyddan nhw ddim wedi mynd yn bell. Mae hi bron yn amser diffodd y golau."

"Beth am i mi fynd i weld ydyn nhw i lawr y grisiau yn yr ystafell gyffredin?" awgrymodd Erin.

Nodiodd Ffion. "Ei di?"

Ond ni fu raid i Erin fynd. Ar hynny, agorodd y drws a daeth Fflur i mewn efo Llywela. Lluchiodd Fflur amlen fawr, wen ar ei gwely a thynnodd amdani â'i chefn at Ffion tra oedd Llywela'n mynd i'r ystafell ymolchi.

Cyn gynted ag roedd hi'n gwisgo'i phyjamas, cydiodd Fflur yn yr amlen a'i rhwygo'n agored. Ond rŵan, gallai Ffion weld beth oedd wedi ei ysgrifennu tu allan iddi, a dychrynodd am ei bywyd.

"Paid!" gwaeddodd mewn braw. "Na! Paid â'i hagor hi!"

Edrychodd Fflur ar ei chwaer am funud cyn troi ei phen draw. Roedd hi wedi cael llond bol ar Ffion yn ymddwyn mor rhyfedd. Rhag ofn ei bod hi wedi gwneud camgymeriad, edrychodd ar yr enw ar yr amlen drachefn. *Miss Ff. Lewis*. Iddi hi roedd o, yn bendant. Ond doedd ganddi ddim syniad pam roedd y gwasanaeth gyrfaoedd yn anfon pecyn gwybodaeth iddi hi chwaith. A dyna oedd o, yn ddiamheuol. Roedd hynny wedi'i ysgrifennu'n eglur ar du blaen yr amlen.

"Paid," crefodd Ffion yn boenus, ond

anwybyddodd Fflur hi. Rhwygodd yr amlen a thynnodd y cynnwys ohoni. Gwelodd lun o wraig glên mewn côt wen. *Felly, rwyt ti eisiau bod yn feddyg?* meddai'r pennawd o dan y llun.

Nac ydw, dydw i ddim, meddyliodd Fflur yn ddiamynedd. *Sôn am hurt!* Chwalodd drwy'r pentwr pamffledi a dod o hyd i lythyr. Wrth iddi ei ddarllen, roedd amser fel petai'n stopio'n stond.

Annwyl Ffion Lewis, meddai'r llythyr. Ffion, nid Fflur. *Annwyl Ffion.* Llythyr i Ffion oedd o! Ond pam? Pam roedd hi eisiau gwybodaeth am yrfa feddygol?

Edrychodd Fflur ar ei chwaer a fferrodd ei gwaed. Roedd yr ateb i'w weld yn wyneb claerwyn Ffion. Y gwir. Doedd Ffion ddim eisiau bod yn gantores bop. Eisiau bod yn feddyg oedd hi. Doedd hi ddim eisiau hawlio'r sylw oddi ar ei chwaer. Roedd hyn yn waeth, yn llawer gwaeth.

Cydiodd Fflur yng nghynnwys yr amlen â dwylo crynedig ac aeth draw at Ffion. Teimlai fel petai ar fin llewygu neu gyfogi, ond rywfodd llwyddodd i ollwng y pecyn gwybodaeth ar wely ei chwaer. Yna gyda'i llaw dros ei cheg, cerddodd yn ofalus iawn at y drws. Wyddai hi ddim ble i fynd, ond fedrai hi ddim dioddef aros yno. Ymbalfalodd am ddwrn y drws ac allan â hi.

* * *

Ymhen tipyn daeth Mrs Prydderch i ddweud wrthyn nhw fod Fflur wedi mynd draw i ysbyty'r ysgol.

"Peidiwch â phoeni," meddai Mrs Prydderch. "Dwi'n siŵr y bydd hi'n iawn erbyn y bore. Nerfau, mae'n debyg, am fod y criw camera yn dod yma fory. Wyt ti'n iawn, Ffion?"

Dywedodd Ffion gelwydd noeth.

"Ydw," atebodd.

Ni sylwodd Mrs Prydderch ar lais crynedig Ffion. Diffoddodd y golau. Dymunodd nos da iddyn nhw ac i ffwrdd â hi.

Roedd Ffion yn berffaith sicr na fyddai'n cysgu'r un winc, a bu'n troi a throsi drwy'r nos. Pan oedd hi'n amser codi roedd ganddi bendro mawr, ac roedd hi ymhell o fod yn barod i wynebu camera.

"Bydd Fflur yn ddigon da i ddod i ffilmio efo ti," meddai Mrs Prydderch wrth Ffion pan aeth hi i lawr y grisiau i holi. "Mae hi'n anfon nodyn draw."

Rhoddodd Ffion ochenaid o ryddhad. Mae'n rhaid fod Fflur wedi dod ati'i hun. Byddai popeth yn iawn.

"Dyna oedd orau, mae'n debyg," meddai Erin pan aeth Ffion yn ôl i fyny'r grisiau. "Mae Fflur yn gwybod y gwir erbyn hyn beth bynnag. Ond mae'n debyg ei fod o wedi bod yn andros o sioc cael gwybod drwy ddarllen dy lythyr di. Wyddwn i ddim dy fod ti wedi anfon am wybodaeth ynghylch bod yn ddoctor."

"Wyddwn innau ddim chwaith!" meddai Ffion. "Sgwennais i 'nghyfeiriad ar y sgrin, ond doeddwn i ddim yn sicr ynghylch ei anfon. Yna daeth rhywun i mewn a gwneud imi neidio. Fe rois i blwc i'r llygoden a'r peth nesa welais i oedd sgrin wag. Mae'n rhaid 'mod i wedi clicio'r botwm i'w anfon heb sylweddoli 'mod i'n gwneud, ond wyddwn i ddim fod y cyfrifiadur gyrfaoedd hyd yn oed wedi'i gysylltu â'r rhyngrwyd."

"Dwyt ti ddim i fod i roi manylion personol i neb ar y rhyngrwyd," meddai Llywela wrthi.

"Wn i," meddai Ffion. "A wna' i byth eto. Dwi wedi dysgu 'ngwers."

Cyrhaeddodd un o'r genethod mawr efo nodyn oddi wrth Fflur cyn iddyn nhw fynd i gael brecwast. Eisteddodd Ffion i'w ddarllen tra oedd Erin a Llywela yn hofran wrth ei hymyl:

Ffion, dwi'n dy gasáu di am ddrysu ein deuawd ni. Pam y cytunaist ti i ddod i'r ysgol yma os wyt ti'n casáu canu gymaint? Dwi'n dy gasáu di'n arbennig am adael i mi wybod yn y ffordd gwnest ti. Be ydw i i fod i'w 'neud pan ei di i brifysgol a 'ngadael i ar fy mhen fy hun?

Ond dydi perfformiwr proffesiynol byth yn gadael i ddim byd ddifetha perfformiad a wna' i ddim gadael i dy dwyll di ddifetha heddiw. Mi fydda i yna ar gyfer y ffilmio, ond paid â disgwyl i mi siarad efo ti byth eto.

Ffonia Mam gynted ag y medri di a dweud wrthi am dy yrru di i ysgol arall. Os nad wyt ti

*eisio bod yn rhan o Fflur a Ffion, dwi ddim eisio i
ti fod yma yn difetha popeth.*

Fflur Lewis

Dechreuodd Ffion grio. Ei chwaer. Ei hefaill. Ei
ffrind gorau, a'r un roedd hi'n ei charu'n fwy na neb
arall eisiau cael gwared â hi am byth.

"Be mae hi'n ddweud?" holodd Erin yn bryderus.

Heb ddweud 'run gair o'i phen, rhoddodd Ffion y
llythyr iddi i'w ddarllen.

"Wel?" gofynnodd Llywela.

Chwifiodd Ffion ei llaw. "Waeth i titha ei ddarllen
o hefyd," meddai hi'n ddiobaith. "Bydd pawb yn
gwybod yn hwyr neu'n hwyrach."

Darllenodd Llywela'r llythyr. Plygodd y papur a'i
roi'n ôl i Ffion.

"Fflur sy'n iawn," meddai hi'n bendant.

Trodd Erin arni. "Llywela! Rhag dy gywilydd di!"

"Yn iawn ynghylch bod yn broffesiynol," eglurodd
Llywela. "Y peth pwysicaf ar hyn o bryd ydi mynd
drwy'r ffilmio. Medrwch chi drefnu popeth arall
wedyn."

Ymdrechodd Ffion yn galed iawn i fod mor broffesiynol â'i chwaer. Dilynodd y ferch gamera nhw o wers i wers, ac ymhen tipyn roedd hi bron yn bosib anghofio ei bod hi'n eu ffilmio. Ffilmiodd Ffion yn trafod ei gwaith gyda Mrs Prydderch, ac wedyn ffilmiodd Fflur a Llywela yn sgwrsio ac yn chwerthin.

"Dwi ddim yn cael llawer ohonoch chi'ch dwy efo'ch gilydd," cwynodd y wraig gamera wrth yr efeilliaid, felly cydiodd Fflur ym mraich ei chwaer a cherddodd efo hi ar hyd glan y llyn, a'r aer oer yn gwneud i'w hanadl godi'n gymylau gwynion o'u cegau fel roedd Fflur yn sgwrsio'n llon a Ffion yn crafu am rywbeth diddorol i'w ddweud. Cyn gynted ag yr oedd y ffilmio drosodd, tynnodd Fflur ei braich yn rhydd ac anwybyddodd Ffion drachefn.

"Dwi'n gweld nad ydach chi ddim efo'ch gilydd drwy'r adeg, fel rhai efeilliaid," meddai'r wraig gamera yn sychlyd.

"O, nac ydan!" cytunodd Fflur yn wên deg i gyd. "Mae'n bwysig iawn cael digon o ffrindiau. Fedrwn ni ddim dibynnu ar y naill a'r llall drwy'r adeg. Byddai hynny'n beth hurt iawn i'w 'neud!"

115

Aeth Ffion i deimlo'n fwy llipa fyth ar ôl hynny a llusgodd y dydd ymlaen ac ymlaen. Ond pan adawodd y wraig gamera o'r diwedd, ymwrolodd Ffion ac aeth at ei chwaer.

"Mae'n ddrwg iawn gen i 'mod i wedi dy gynhyrfu di gymaint," meddai. "Gawn ni drafod y peth a bod yn ffrindiau eto?"

Syllodd Fflur ar ei chwaer yn oeraidd, heb drafferthu ateb hyd yn oed.

Doedd dim wedi newid erbyn amser gwely. Tynnodd Ffion y siwmper binc hyfryd roedd hi wedi bod yn ei gwisgo a'i rhoi wrth draed gwely Erin. Ond er ei bod yn falch o'i benthyca i Erin, fedrai hi ddim teimlo'n frwdfrydig ynghylch dim byd ar y funud.

"Er mwyn y nefoedd!" cwynodd Llywela wrth ddringo i'w gwely. "Roeddwn i'n meddwl mai fi oedd yr un bigog ddrwg ei hwyl! Ond dach chi'ch dwy fel draenogod!"

Doedd Llywela ddim yn arfer ceisio gwneud i bobl chwerthin, ac ar unrhyw adeg arall, byddai hynny wedi bod yn ddoniol, ond nid heno. Ni wenodd neb o gwbl.

"Cau dy geg, Llywela," meddai Erin. "Mae'n ddrwg gen i," ychwanegodd wedyn ar ôl eiliad neu ddwy.

"Gadewch i ni i gyd gysgu," meddai Ffion yn ddigalon. "Mae fory'n ddiwrnod mawr. Bydd y criw camera yma i ffilmio'r perfformiad."

14. Goleuadau, Camerâu, Ffilmio!

Erbyn y bore roedd pethau cynddrwg ag erioed rhwng Fflur a Ffion. Ond doedd dim amser i hel meddyliau. Rhuthrodd Cochyn a Dan i mewn i gael brecwast, yn berwi o gyffro gyda'r newydd, "Mae'r criw camera yma!"

Neidiodd pawb bron ar eu traed a rhuthro at y ffenest. Ac yn wir, roedd fan fawr wen wedi ei pharcio ar y glaswellt o flaen y stiwdio ddawns ac amryw o bobl yn gwisgo jîns a siacedi yn cario llwythi o offer i mewn i'r ysgol.

Bu'n rhaid i'r dosbarth ddioddef eu dwy wers gynta er ei bod yn amhosib canolbwyntio a wnaeth neb fawr o waith. Erbyn amser egwyl roedd pawb ar bigau'r drain ac yn ysu am gael gwybod beth oedd yn digwydd. Ar ddiwedd yr egwyl gofynnwyd i bawb ymgynnull yn y brif neuadd. Roedd Mr Penardos a

Mr Parri yno.

"Mae'r cynhyrchydd eisio gweld y perfformiad i ddechrau, er mwyn gweld lle i osod ei gamerâu," cyhoeddodd Mr Penardos. "Ond cyn inni 'neud hynny, ewch i newid ac i goluro. Fflur a Ffion i ddechrau, os gwelwch yn dda? Pawb arall wedyn."

Roedd Fflur a Ffion wedi hen arfer cael eu coluro ar gyfer modelu. "Fe rof i chydig o bowdwr a thipyn o finlliw plaen yn unig i chi," meddai'r ferch goluro wrthyn nhw. "Mae'ch swyddog hyrwyddo chi'n meddwl y dylech chi edrych yn hollol naturiol, er mwyn pwysleisio mor ifanc dach chi." Gweithiodd yn gyflym iawn ac roedd yr efeilliaid ar eu ffordd yn ôl i'r stiwdio ddawns mewn chwinciad.

Yn ystod y bore roedd y lle wedi cael ei weddnewid yn llwyr. Ceblau duon yn cordeddu fel nadroedd ar draws y llawr, pob bleind wedi ei gau i guddio golau llwyd y bore, a goleuadau trydan ar bolion uchel ym mhob twll a chornel. Arhosai tri dyn camera gyda'u camerâu gerllaw. Roedd nifer rhyfeddol o bobl yn brysur yn rhuthro'n ôl ac ymlaen, yn cario clipfyrddau, neu'n parablu i mewn i radio.

Yn fuan iawn byddai Fflur a Ffion ar y llwybr modelu. A rywsut, er bod Ffion wedi ymddangos mewn ugeiniau o sioeau ffasiwn o flaen cannoedd o bobl, codai hyn fwy o ofn o lawer arni. Pam? Y camerâu? Gorfod perfformio o flaen eu ffrindiau? Na, yr un o'r ddau, meddyliodd Ffion. Roedd hi'n teimlo fel hyn oherwydd bod ei chwaer a hithau'n mynd i fod yn cydweithio'n glòs gyda'i gilydd fel roedden nhw wedi hen arfer. Y gwahaniaeth oedd na fuon nhw nhw erioed gymaint ar wahân.

Eisteddai Siwan Mererid ar gadair blygu, yn siarad bymtheg yn y dwsin gyda dyn difrifol yr olwg mewn crys lliwgar. Wrth i'r efeilliaid betruso ar eu ffordd i mewn, rhuthrodd dyn ieuengach atyn nhw, yn chwilio am eu henwau ar ei glipfwrdd.

"Huw, y rheolwr llawr, dwi," meddai. "A dyma ein cynhyrchydd ni, Richard." Trodd y dyn crys lliwgar ei gefn ar Siwan am funud a nodio ar Fflur a Ffion. "Fedrwch chi fynd i'r lle dach chi'n cychwyn, os gwelwch chi'n dda?" gofynnodd Huw. "Pan fydd pawb yn barod, bydd Richard yn penderfynu ble bydd o eisio'r camerâu."

Bu'r cynhyrchydd am hydoedd yn trafod onglau gyda'r dynion camera, yn symud y goleuadau ychydig gentimetrau i'r naill ochr a'r llall, ond roedd popeth mor ddiddorol fel nad oedd yr aros yn poeni dim ar neb. Roedd hyd yn oed Llywela yn sgwrsio'n frwd gyda Dan tra oedd y cynhyrchydd yn edrych drwy lens un o'r camerâu mawr oedd ar rhyw fath o graen.

Fflur a Ffion gyda'i gilydd ar y llwybr modelu oedd yr unig rai heb ddim byd i'w ddweud. Roedd y ffordd y llwyddai Fflur i anwybyddu'i chwaer – gan lwyddo ar yr un pryd i roi'r argraff eu bod nhw ar delerau ardderchog – yn corddi Ffion yn lân. Petai Fflur ond yn edrych arni unwaith, ac yn dangos ei bod hi'n mynd i faddau iddi yn y pen draw. Ond edrychai Fflur i bobman ond ar ei chwaer, ac roedd Ffion yn cynhyrfu fwyfwy bob munud. Roedd hyd yn oed y gwres a godai o'r goleuadau yn annioddefol, er nad oedd goleuadau llwybr modelu erioed wedi ei phoeni hi o'r blaen. Bu'n rhaid i'r ferch goluro ddringo ar y llwybr ddwywaith i roi mwy o bowdwr ar ei hwyneb i gadw'r sglein oddi ar ei thrwyn.

Petai Fflur ond yn siarad efo Ffion. Efallai y byddai hyd yn oed ffrae benboeth arall yn clirio tipyn ar yr aer. Ond doedd wiw iddyn nhw ffraeo o flaen y camerâu.

Unwaith roedd popeth yn ei le, roedd yn rhaid iddyn nhw ymarfer, ond dim ond cerdded drwy'r perfformiad yn hytrach na chanu a dawnsio. Roedd Richard yn eu stopio nhw ar ganol pennill, neu fel roedd y "gynulleidfa" yn dechrau symud at y llwybr ac roedd hynny'n drysu pawb yn lân. Ond o'r diwedd gwyddai pawb yn union ble'r oedden nhw i fod i sefyll. Dyna olygfa hardd oedd hi. Roedd meistres gwisgoedd yr ysgol wedi gofalu am ddillad arbennig o addas ar gyfer yr achlysur i bawb ac roedd ffrogiau'r cynllunydd ffasiwn a wisgai Fflur a Ffion, wrth gwrs, yn gwneud iddyn nhw edrych yn ddigon o sioe.

Pan oedd popeth yn ei le yn berffaith, bu'r cynhyrchydd a'r rheolwr llawr yn trafod am rhyw funud neu ddau ac yna aeth Richard i eistedd yn y cysgodion ym mhen draw'r ystafell.

"Mae Richard eisio i chi ddod i mewn yn sgwrsio," meddai Huw. "Fel 'tasech chi newydd gyrraedd ar gyfer ymarfer. Syniad gwych, gyda llaw, i gyfuno'r gwaith modelu ar y llwybr efo cân."

Cododd y dynion camera, y criw goleuo a'r dyn sain efo'i feicroffon ar bolyn hir, eu bodiau ar Huw. "Distawrwydd. Camerâu'n barod," cyhoeddodd Huw. "Ffilmio!" Ac yna ciliodd tu ôl i'r goleuadau gyda'i glipfwrdd i ymuno â'r cynhyrchydd.

Fedrai Ffion ddim meddwl am ddim byd i'w ddweud, ond sgwrsiodd Fflur yn hapus braf.

"Dwi 'di dotio at y dillad 'ma!" meddai hi'n wên i gyd, a'i gwên wedi'i hanelu rhyw filimetr y tu hwnt i glust Ffion. "Wyt ti'n medru cerdded yn iawn yn y sgidia 'ma?"

"Ydw," atebodd Ffion yn beiriannol, gan ddotio at feddwl chwim ei hefaill wrth iddi frolio'r dillad roedden nhw wedi cael eu benthyg. Petai'r darn yn cael ei gynnwys yn y ffilm derfynol, heb gael ei dorri, byddai'r cynllunydd wrth ei fodd ac yn gofyn iddyn nhw wneud rhagor o waith. Dyna beth oedd bod yn wirioneddol broffesiynol. Gwych, Fflur!

Tapiodd Dan ei ffyn drymio, er mwyn i'r cyfri arwain Llywela i mewn ar gyfer eu cyflwyniad. Chwaraeodd y ddau eu hofferynnau a dechreuodd Fflur a Ffion ganu'r pennill cynta gan gerdded yn dalog i lawr y rhodfa at ble'r arhosai Erin.

Roedd hi'n andros o ymdrech i Ffion ganu'r gân o gwbl, ond gwasgai Fflur bob diferyn o ystyr o'r geiriau. Erbyn i'r efeilliaid gyrraedd Erin, doedd dim dal ar Fflur.

Er mawr syndod i Ffion, cydiodd ei chwaer yn ei braich, ond nid symudiad cyfeillgar oedd o. Cydiai'n dynn, dynn a sylweddolodd Ffion mai cofio beth ddigwyddodd efo Tonwen Dwyryd yr oedd Fflur, a'i bod yn gofalu na fyddai dim byd o'r fath yn digwydd wedyn.

"Mae'n ddiwrnod, mae'n ddiwrnod, diwrnod i'r brenin ... "

Canai'r tair geneth y gytgan, ond gallai'n hawdd fod yn Fflur yn canu ar ei phen ei hun. Fel roedd hi'n canu geiriau olaf y gân, edrychodd yn gas ddifrifol ar ei hefaill. Tawodd Ffion y munud hwnnw. Yna hyrddiodd Fflur fraich ei chwaer oddi wrthi a brasgamodd yn ôl i fyny'r llwybr modelu ar ei phen ei hun, gan ganu'r ail bennill. Ffion druan. Llusgodd ar ôl Fflur gan edrych fel petai wedi'i llorio'n lân.

Paid, os gweli di'n dda, crefodd Ffion yn ddistaw ar ei chwaer tu ôl i'w chefn. Paid â 'nghasáu i gymaint. Fedra i ddim dioddef hyn. Wir, doeddwn i ddim yn bwriadu dy frifo di. Ond dw inna'n cyfri hefyd.

A beth ddigwyddodd wedyn? Yn sydyn, cafodd Ffion lond bol. Gwylltiodd yn gacwn. Cododd ei gên yn benderfynol a brasgamodd ar ôl ei chwaer gan ymuno ag Erin a Fflur yn yr ail gytgan. Gwyddai y byddai Fflur yn edrych yn syth i mewn i gamera un, felly safodd o'i flaen am eiliad, er mwyn i Fflur a hithau wynebu'i gilydd. Doedd dim rheswm o gwbl iddi hi deimlo mor euog. Roedd yn rhaid i'r ddwy ohonyn nhw setlo hyn.

Fedrai Fflur ddim osgoi edrych i gannwyll llygaid Ffion, ac aeth hynny'n drech na hi. Daeth yr un edrychiad hwnnw â Fflur at ei choed. Treiddiodd penbleth ei chwaer i mewn i'w hymennydd hithau, ac o'r diwedd, roedd hi'n deall. Petrusodd Fflur. Am un eiliad yn unig, daeth rhyw olwg 'be wna' i' drosti. Yna, heb gloffi o gwbl bron, ailgydiodd yn ei phroffesiynoldeb. Ond roedd pethau'n wahanol. Doedd hi ddim mor bendant, ac er ei bod yn gwrthod edrych ar Ffion wedyn, gwyddai Ffion yn iawn nad meddwl am y gân yn unig yr oedd ei hefaill erbyn hyn. Roedd hi'n meddwl amdanyn nhw'u dwy.

Dyna ryfedd oedd peidio cael cymeradwyaeth ar y diwedd. Roedd Ffion yn ymwybodol iawn o wyneb pryderus Siwan Mererid ond roedd y cynhyrchydd a'i griw wedi gwirioni'n lân.

"Waw! *BENDIGEDIG!*" gwaeddodd Richard, yn amlwg wedi'i blesio'n fawr iawn. Gwenai'r criw camera a gweddill y technegwyr hefyd. "Roedd hwnna'n berfformiad a hanner," meddai Richard wrth Fflur, yn wên o glust i glust. "Wyt ti wedi ystyried mynd yn actores? A'r edrychiad 'na rhyngoch chi'ch dwy yn ystod yr ail gytgan! Dalion ni hwnna ar gamera dau? Do? Anhygoel! Roeddech chi i gyd yn ardderchog iawn," ychwanegodd wrth y dosbarth cyfan.

Roedd hi'n amser i'r efeilliaid gael eu cyfweld am

y tro olaf a Richard oedd yn holi oddi ar y camera. Ar ôl i'r ffilm gael ei golygu, byddai'n swnio fel petai'r genethod yn sgwrsio'n syth efo'r gynulleidfa yn hytrach nag yn ateb y rheolwr llawr oedd o'r golwg.

"Mam yrrodd lun ohonon ni i Siwan Mererid, y swyddog hyrwyddo," atebodd Ffion pan ofynnwyd y cwestiwn, "Sut y dechreuoch chi?"

"Fe gymerodd hi ni ar ei rhestr. Tua chwech oed oedden ni, dwi'n meddwl. Dwi ddim yn cofio be oedd ein gwaith modelu cynta."

"Wn i," meddai Fflur. "Dwi'n cofio pob eiliad. Gwaith ar gyfer catalog oedd o, ac roedden ni'n gwisgo llawer o ddillad gwahanol. Roedd amryw o blant eraill yno hefyd, ac roedd rhai ohonyn nhw wedi 'laru. Roedd Ffion wedi cael llond bol hefyd, ond roeddwn i wrth fy modd."

"Siwan Mererid awgrymodd ein bod ni'n mynychu Ysgol Plas Dolwen," meddai Fflur, gan ateb cwestiwn arall oddi ar y camera. "Am ein bod ni'n hoffi canu, roedd hi'n meddwl y byddai'n syniad da inni gael profiad mewn maes arall. Dwi wedi bod eisio bod yn gantores bop erioed," ychwanegodd yn hiraethus, "efo fy chwaer … "

Edrychodd Ffion i lawr a chanolbwyntiodd ar edau yn ei ffrog. Teimlai ei chalon yn curo, curo. Beth oedd Fflur yn ei wneud rŵan? Doedd hi erioed yn mynd i godi cywilydd mawr arni o flaen y camera?

Edrychodd Fflur yn syth i'r camera ac meddai'n ddifrifol ac yn gwbl ddiffuant, "Ond dwi ddim yn meddwl y bydd hi eisio canu efo fi pan fyddwn ni'n hŷn."

Doedd y rheolwr llawr ddim yn deall. Brysiodd i ofyn cwestiwn gwahanol i'r un oedd ar y sgript.

"Pam?"

"Am resymau nad oes neb ond y hi yn eu deall. Mae fy chwaer wedi penderfynu y byddai hi'n hoffi mynd yn … *feddyg.*"

Roedd y tawelwch yn llethol, fel petai pawb wedi dychryn. Edrychodd y criw ffilmio ar y cynhyrchydd, ond nodiodd yntau arnyn nhw i ddal ati i ffilmio.

Chafodd o mo'i siomi gan Fflur.

"Dyma lle'r ydw i eisio bod," meddai, â'i llaw ar ei chalon. "Ym Mhlas Dolwen. Lle gwych ar gyfer rhywun fel fi sydd eisio bod yn enwog. Ond mae Ffion yn wahanol. Dan ni'n edrych yr un ffunud â'n gilydd, ac roedden ni'n arfer meddwl 'run peth yn union â'n gilydd hefyd, ond nid erbyn hyn. Dwi eisio gwneud pobl yn hapus." Trodd ac edrych ar Ffion, a gallai Ffion weld dagrau yn cronni yng nghornel llygaid ei chwaer, yn sgleinio fel gemau gwerthfawr. "Ond mae Ffion eisio *gwella* pobl." Cymerodd anadl ddofn a llwyddodd i reoli'r cryndod yn ei llais. "Dwi mor falch ohoni hi." Yna tawodd, a llifodd deigryn yn araf bach i lawr ei grudd brydferth.

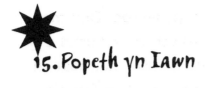

15. Popeth yn Iawn

Roedd Fflur a Ffion yn beichio crio, a'u dilladau cynllunydd yn cael eu gwasgu'n flêr wrth iddyn nhw gofleidio'i gilydd. Teimlai'r ddwy fel petaen nhw ar eu pennau eu hunain yn yr ystafell. Ond wrth gwrs, doedden nhw ddim.

"Pan edrychaist ti i fyw fy llygaid i," criodd Fflur, "fe sylweddolais i'n sydyn na faswn *i* byth bythoedd yn gwneud rhywbeth dwi ddim eisio'i 'neud. Dim am *eiliad*. Rwyt ti wedi trio bod yn garedig ... a finna wedi bod yn hen gnawes."

Gadawodd dyn camera dau i'r camera ddal ati i recordio. Cerddodd dyn camera un yn ôl ychydig er mwyn i'r genethod deimlo'u bod nhw'n cael ychydig o breifatrwydd, ond cadwodd y llun yn agos drwy ganolbwyntio'r lens ar eu hwynebau. Edrychodd y peiriannydd sain o'i amgylch i chwilio am gyfarwyddiadau. Amneidiodd y cynhyrchydd arno i aros yn union ble'r oedd o, felly arhosodd y meicroffonau blewog yn eu lle yn hofran uwchben yr efeilliaid.

Roedd Richard wedi gwirioni. Byddai hyn yn wych ar y teledu! Anwybyddodd Siwan Mererid oedd yn chwifio'n wallgo arno o ochr draw'r ystafell.

O'r diwedd gollyngodd Fflur a Ffion eu gafael yn ei gilydd. Disgleiriai'r dagrau gloywon yn llygaid y ddwy a'u colur yn llanast difrifol. Edrychodd y naill ar y llall ac ochneidiodd Fflur.

"Mae'n wir ddrwg gen i."

"A finna hefyd."

"Bydd popeth yn iawn, gei di weld."

"Bydd siŵr." Ymdrechodd Ffion i wenu.

Llyncodd Fflur ei phoer. "Rwyt ti'n edrych fel 'taset ti wedi dy dynnu drwy ddrain gerfydd dy wallt!"

"A chditha hefyd," meddai Ffion. Yna sylweddolodd ble'r oedden nhw. "Y camerâu!"

Yn ofalus, gwthiodd Fflur gudyn o wallt rhydd ei chwaer tu ôl i'w chlust yn dyner. "Paid â phoeni," meddai, yn rhyfeddol o dawel. "Nid rhaglen fyw ydi hi. Cofia fod gan Siwan yr hawl i'w gwahardd nhw rhag defnyddio unrhyw ddarn sy ddim yn ei phlesio hi pan fyddan nhw'n golygu'n derfynol. Rhowch y gorau iddi rŵan," meddai'n bigog wrth ddyn camera un oedd yn closio i mewn drachefn.

Nodiodd Richard. Peidiodd y ffilmio.

Cyn gynted ag yr oedd y criw ffilmio'n dechrau hel y ceblau at ei gilydd ac yn tynnu'r goleuadau i lawr, daeth Siwan Mererid at yr efeilliaid ar ei hunion.

"Be oedd hynna ynghylch bod yn ddoctor?" gofynnodd i Ffion.

Edrychodd Fflur a Ffion ar ei gilydd.

"Mae'n stori hir," meddai Ffion.

"Dach chi'n ddigon ifanc," atgoffodd Siwan Mererid y ddwy. "Mae gynnoch chi ddigonedd o amser i benderfynu be dach chi eisio'i 'neud yn y dyfodol." Yna, edrychodd yn syth ar Fflur.

"Roedd hwnna'n berfformiad penigamp, Fflur," meddai hi. "Ond dwi ddim yn meddwl fod yn rhaid iti boeni cymaint ynghylch dy chwaer yn rhuthro i ffwrdd i ysgol feddygol ar y funud."

"Arna i roedd y bai," meddai Ffion. "Dychryn wnes i wrth feddwl am orfod gweithio yn y diwydiant cerddoriaeth am weddill fy oes."

Eisteddodd Siwan Mererid rhwng yr efeilliaid a rhoi ei breichiau am ysgwyddau'r ddwy.

"Eich swyddog hyrwyddo chi dwi, nid rhyw hen lysfam annifyr," meddai, "a does 'na'r un swyddog hyrwyddo gwerth ei halen yn mynd i'ch gorfodi chi i 'neud rhywbeth yn groes i'ch ewyllys."

"Ond mae Fflur eisio bod yn seren bop a dw inna ddim," sniffiodd Ffion, yn ymdrechu i beidio crio. "Mae hynna'n ofnadwy iddi hi ac i mi."

"Does dim byd yn para am byth," meddai Siwan Mererid. "Credwch chi fi! Wyt ti wedi blino ar y gwaith modelu dwi wedi bod yn ei gael i chi yn ystod y gwyliau?"

"Naddo, ond ... "

"Wyt ti'n dal i fwynhau bod yn yr ysgol yma?"

"O! Ydw!" meddai Ffion. "Dwi wrth fy modd yma."

"Rwyt ti wedi ennill mwy na digon o arian yn barod i dalu am fynd i ysgol feddygol heb fod angen unrhyw fenthyciad myfyriwr. Beth am ymlacio a mwynhau bywyd? Mae 'na ddigon o amser iti feddwl be wyt ti eisio'i 'neud fel gyrfa wedi iti gyrraedd dosbarthiadau uwch yr ysgol," meddai Siwan.

Nodiodd Ffion. "Oes, mae'n debyg," cytunodd. "Ond beth am Fflur?"

Chwarddodd Siwan Mererid. "Fflur?" meddai hi. "*Fflur*? Does dim rhaid iti boeni am Fflur! Mae hi'n blodeuo o flaen camera. Fe fetia i y bydd hi'n cael gwneud beth bynnag y bydd hi'n dymuno'i 'neud – canu, modelu, actio, cyflwyno rhaglenni! Mae'r posibiliadau'n ddiderfyn i Fflur. Mae hi'n medru gwneud y cyfan yn reddfol."

Cofleidiodd Fflur Siwan Mererid. "A chdi fydd fy swyddog hyrwyddo? Hyd yn oed os na fydd 'Fflur a Ffion' yn bodoli?"

"Wrth gwrs! Ond fy nghyngor i i chi'ch dwy ydi i chi ddal ati fel dach chi rŵan cyhyd â'ch bod chi'ch dwy yn mwynhau be dach chi'n 'neud. Ond Ffion, dylet ti siarad efo dy athrawon ynghylch yr hyn wyt ti eisio'i 'neud. Gwnân nhw dawelu dy feddwl di. Fe glywais i am fyfyriwr o'r ysgol yma aeth ymlaen i hyfforddi'n gyfreithiwr. Gei di ddigon o gymorth os wyt ti eisio dilyn y llwybr academaidd."

"Felly," meddai Fflur wrth Ffion. "Wyt ti'n mynd i aros yma ym Mhlas Dolwen am dipyn bach rhagor?"

Meddyliodd Ffion ynghylch y peth. "Wyt ti'n mynd i roi'r gorau i 'mhryfocio i yn y gwersi gwyddoniaeth?" gofynnodd. Edrychodd y ddwy ar ei gilydd a gwenu.

"Hwre!" gwaeddodd Cochyn, oedd yn clustfeinio ar y tair yn gwbl agored.

Curodd Mr Penardos ei ddwylo. "Iawn, bawb," meddai wrth y dosbarth. "Dewch inni glirio'r petha 'ma. Llywela, fedri di roi'r lamp yn ôl yn y gongl? Aiff y llwyfan yn erbyn y wal 'na. Mae gen i wers y peth cynta yn y bore, felly rhaid ei 'neud o rŵan."

Aeth pawb ati ar unwaith ac yn fuan iawn roedd y blociau llwyfan pren a ddefnyddiwyd i wneud y llwybr modelu o'r neilltu yn bentwr taclus.

"Dwi'n falch fod popeth yn iawn erbyn hyn," meddai Erin wrth yr efeilliaid. Safodd y tair mewn cylch am funud yn cofleidio'i gilydd.

"A chditha hefyd," meddai Fflur wrth Llywela, gan ymestyn ei braich. "Dan ni'n pedair, sy'n rhannu stafell efo'n gilydd, wedi rhannu hyn i gyd, er gwell neu er gwaeth." Petrusodd Llywela, ac yna gadawodd iddyn nhw ei thynnu i mewn i'r cylch.

"A dweud y gwir," meddai Ffion, gan gamu rhyw ychydig oddi wrth y lleill, "mae gen i uchelgais arall."

Edrychodd Fflur, Elin a Llywela arni'n bryderus.

"Na, dim ond tynnu coes! Mae popeth yn iawn," gwenodd a'u tynnu i gyd yn ôl at ei gilydd yn gylch clòs. "Dwi ddim yn mynd i adael Plas Dolwen. A *beth bynnag* wnawn ni i gyd yn y diwedd, dwi eisio inni aros yn ffrindiau fel hyn am byth!"

Ac rwyt tithau'n
dyheu am fod
yn seren bop

Drosodd mae rhai o
sêr y byd pop a roc Cymraeg
yn cynnig cyngor neu ddau
a all fod yn
gymorth iti
weld dy
freuddwyd
yn cael
ei gwireddu

Cam bach ar y llwyfan mawr

Digon o dalent?
Digon o ynni ac awydd?
Dyma chydig o awgrymiadau
i'th helpu i fod yn seren bop . . .

Rhaid iti fod yn gadarnhaol –
credu ynot dy hun, a bod yn hyderus.

Dechrau arni – paid â disgwyl.
Ymuna â chor yr ysgol neu
griw cân actol yr Urdd
neu ffurfia fand dy hun.

Does dim rhaid dilyn y dyrfa.
Paid ag ofni bod yn wahanol.

Penderfyniad – mae hwnnw'n beth mawr.
Gweithia'n galed a chanolbwyntia.

Bydd yn greadigol. Rho gynnig
ar sgwennu dy ganeuon dy hun.

Amynedd piau hi! Paid â rhoi'r
ffidil yn y to os na ddaw llwyddiant
dros nos.

Bacha'r cyfle pan ddaw
hwnnw heibio.

Rhaid bod yn barod i addasu –
rho gynnig ar wneud rhywbeth gwahanol
os bydd drws yn agor.

Tân yn y galon – mae'n rhaid
dangos ysbryd a theimlad yn
dy berfformiad.

Gwylia eraill, mae gweld a gwylio'r
sêr wrthi yn addysg ac yn bleser.
Rho help llaw i eraill.
Byddi dithau'n dysgu o
wneud hynny.

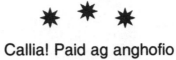

Callia! Paid ag anghofio
dy waith ysgol!

Cadw dy draed ar y ddaear a phaid
â mynd yn ben bach. Mae pawb
angen ffrindiau felly paid ag anghofio
amdanyn nhw.

 Bydd yn driw i ti dy hun.

 Ac yn olaf – y peth pwysicaf
un – mwynha bopeth ti'n
ei wneud!

Dos amdani!
Mae'r dyfodol yn dy ddwylo di